Herausgeber:
Stadt Neu-Ulm, Kulturamt

Texte:
Eduard Ohm, Neu-Ulm

Graphische Konzeption und Visualisierung:
Wolfgang Bauer, Neu-Ulm
unter Mitarbeit von Jürgen Jauss

Reproduktionen:
Rasper / Pächter o. H. G., Neu-Ulm

Satz und Druck:
Graphische Betriebe Eberl GmbH, Immenstadt

Verarbeitung:
Siegloch, Künzelsau

Erste Auflage 1984

ISBN Nr. 3-9800911-0-4

Neu-Ulm
Augenblicke aus dem Leben einer Stadt

Neu-Ulm
Augenblicke aus dem Leben einer Stadt

Nun ist es endlich soweit: Das Buch über Neu-Ulm ist da. Was viele Bürger sich seit langem gewünscht und was viele Freunde der Stadt bisher vermißt haben, hat Gestalt angenommen. Form und Inhalt, so meine ich, können sich sehen lassen. „Augenblicke aus dem Leben einer Stadt“ steht über dem Neu-Ulm-Buch. Das darf man wörtlich nehmen. Ein Bildband soll es sein von einer Stadt, die sich seit ihren Anfängen zu Beginn des letzten Jahrhunderts entwickelt hat wie kaum eine andere in Bayern – wie im Bilderbuch sozusagen. Längst aus dem Schatten des Ulmer Münsters herausgetreten, das weithin im Land von der Bedeutung und Geschichtsmächtigkeit der großen Nachbarstadt kündet, ist Neu-Ulm heute mit fast 50 000 Einwohnern nach Augsburg und Kempten die drittgrößte Stadt im Regierungsbezirk Schwaben und unter Bayerns Großen Kreisstädten mit Abstand die größte. Obzwar unter den bedeutenderen Städten Bayerns die jüngste, ist Neu-Ulm heute, wohlgegründet auf dem Fleiß, der Lebenstüchtigkeit und dem Bürgersinn seiner Einwohner, ein blühendes und geordnetes Gemeinwesen mit Rang und Ansehen im Land. Dank einer gut strukturierten, mittelständisch geprägten Wirtschaft, die sich innerhalb der Rahmenbedingungen einer modern ausgebauten technischen und sozialen Infrastruktur auch in Zeiten der Rezession anpassungs- und leistungsfähig zeigt, hält sich die Stadt seit Jahrzehnten in der Spitzengruppe der steuerstarken Kommunen Bayerns. Wer hätte eine solche Entwicklung geahnt in der Stunde Null, als nach dem Zusammenbruch gerade noch 7000 Neu-Ulmer in den Ruinen der zu drei Vierteln zerstörten Stadt ein von blanker Not und der Sorge um den nächsten Tag bestimmtes Dasein fristeten? Wer hätte damals gedacht, daß sich die Stadt in knapp vier Jahrzehnten trotz mancher Rückschläge, wie dem Verlust der Kreisfreiheit und der damit verbundenen Minderung ihrer Verwaltungs-Zentralität stetig nach oben entwickeln würde? Daß auch in einer Zeit der allgemeinen Stagnation in Neu-Ulm die Indikatoren der Entwicklung weiter nach oben zeigen; daß nach einem Zuwachs von fast 50 Prozent der Bevölkerung infolge der Gebietsreform in den siebziger Jahren ein neues, die größer gewordene Stadt umfassendes Bürgergefühl sich entwickeln würde? Das Buch, ursprünglich als reiner Bildband konzipiert, zeigt – so meine ich – vieles von diesem Aufbruch nach dem Krieg. Es ist aber schließlich mehr geworden als ein Bilderbuch über das heutige Neu-Ulm, es wurde ein richtiges Geschichtenbuch über die Stadt, wie sie war und wie sie geworden ist. Hier gilt es, dem Verfasser dieser Geschichten, in denen die Geschichte der Stadt erzählt wird, zu danken. Herr Eduard Ohm hat mit einer seltenen Liebe zum Genrehaften, zur Anekdote und zum liebevoll aufgespürten Detail die Geschichte seiner Vaterstadt so geschrieben, daß das Lesen zum Genuß wird. Für die vielen, die ihm bei der Stoffsammlung aus Liebe zur Sache und zur Stadt geholfen haben, möchte ich dankbar nur unseren Stadtheimatpfleger, Herrn Horst Gaiser, nennen. Dank und Anerkennung gebühren schließlich Herrn Wolfgang Bauer, der die graphische Konzeption des Buches entwickelt hat und von dem der größte Teil der Bilder von der heutigen Stadt stammt. Er hat sich nämlich bei den Vorarbeiten zu dem Buch weit über das nach Vertrag und Vereinbarung hinaus zu Fordernde für das gute Gelingen des Werkes eingesetzt. Dem Neu-Ulm-Buch, das künftig nicht nur als Repräsentationsgabe der Stadt dienen soll, sondern auch im Buchhandel erhältlich sein wird, wünsche ich eine weite Verbreitung. Möge es den Bürgern der Stadt und allen ihren Freunden „Augenblicke“ schenken, die Freude und Vergnügen machen!

Dr. Peter Biebl
Oberbürgermeister

Inhalt

Donau
ULM
Pfuhl
Burlafingen
Nersingen
Leibi
Offenhausen
Striebelhof
Steinheim
NEU-ULM
Flugplatz
Breithofen
Finningen
Holzheim
Schwaighofen
Schlüsselhof
Neuhausen
Ried
Ludwigsfeld
Metzgerhof
Lindenhof
Riedhöfe
Marbach
Reutti
Tiefenbach
Luippen
Illerbrücke
Iller
Wiblingen
Hirbishofen
Jedelhausen
Holzschwang
Gerlenhofen
Unterkirchberg
Hausen
Aufheim
Weiler
Anschlußstelle Senden
Freudenegg
Ay a.d.Iller
SENDEN
Hittistetten
Unterweiler
Gde Iller-kirchberg
Wullenstetten
Autobahndreieck Hittistetten
A7
10
30
28

Nersingen
Burlafingen
Pfuhl
Offenhausen
Steinheim
Holzheim
NEU-ULM
ULM
Ludwigsfeld
Wiblingen
Reutti
Holzschwang
Hausen
Aufheim
Gerlenhofen
SENDEN
Wullenstetten
Unterkirchberg

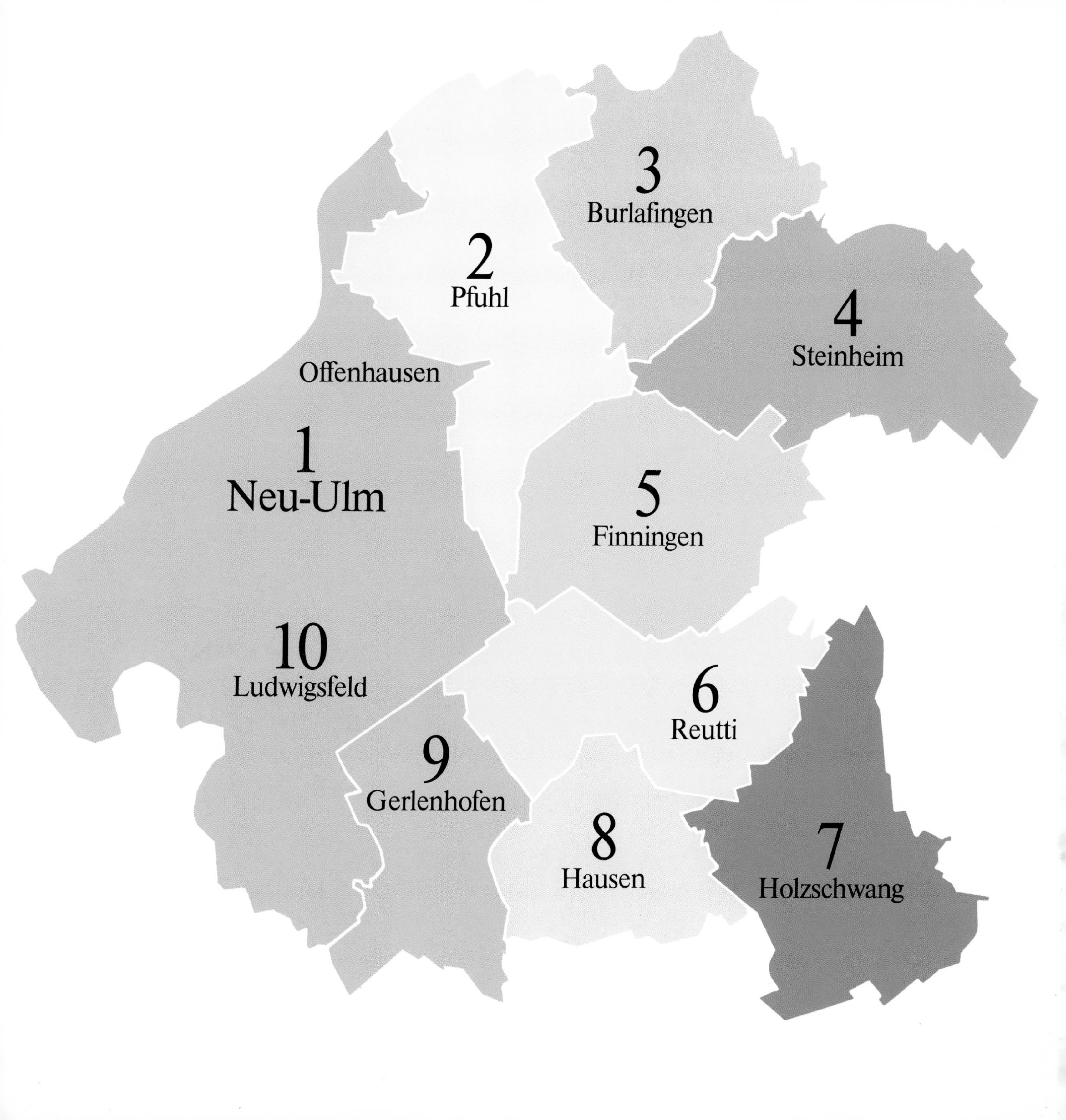
3
Burlafingen
2
Pfuhl
4
Steinheim
Offenhausen
1
Neu-Ulm
5
Finningen
10
Ludwigsfeld
6
Reutti
9
Gerlenhofen
8
Hausen
7
Holzschwang

Jede Stadt, so steht da und dort zu lesen, hat etwas Personhaftes, Individuelles. Es gibt königliche Städte, die sich in festlichem Bratenrock mit bunten Ordensbändern präsentieren. Und es gibt solche, die aus der blauen Latzhose nicht herauskommen. Weltkundig-zynische Biographenweis' sieht das ungleiche Städtepaar an der Donau, Ulm und Neu-Ulm, nicht ungern in dieser Anzugsordnung. Ulm, die altehrwürdige, daneben, nur einen Steinwurf davon entfernt, Neu-Ulm, die neue, beinah parvenühaft geschichtslose Stadt.

Ulmer Geld. Ulmer Spatz, Ulmer Schachtel. Ulmer Mutschelmehl. Schneider von Ulm. Ulmer Münster. Der Blick in die Glasvitrine der Historie läßt jeden taktvoll verstummen. Sogar der Ulmer Spargel genießt Berühmtheit. Seinetwegen, so erzählt die schriftstellernde Ulmer Stadt-

Das Forellenbächle zum Wasserturm: Du bist der Schönste im ganzen Glacis!

um die Jahrhundert-Wende

rätin Gertrud Beck, hat der Orientexpreß für eine Minute auf dem Hauptbahnhof angehalten, um für General Auler Pascha – einst am Bosporus hochgeschätzter Instruktor der türkischen Armee – einen Korb voll mitzunehmen. Und da gibt es auch noch den allerorts bekannten Promille-Test für die Zunge: In Ulm, um Ulm und um Ulm herum – konkrete Eingemeindungspoesie. Ulm schluckt alles, auch das immerhin 48000 Einwohner zählende Neu-Ulm. Den ihr übergestülpten halbleinenen Drillich muß sich die bayerische Grenzstadt, der Juniorpartner, wohl gefallen lassen. Trotzdem: Schlendern Sie mal mit uns in schauender Muße über die Straßen der Innenstadt bis hinaus in die Vororte! Und Sie beginnen den Gefühlshintergrund zu verstehen, der viele Bürger zu dem Bekenntnis bewegt: Ich bin ein Neu-Ulmer.

Wie Neu-Ulm entstand und zu seinem Namen kam

Von böhmischen Amazonen und einem kriegerischen französischen Imperator

Keine Angst, wir bleiben schon auf dem Pflasterboden der Tatsachen! Apropos Pflaster: Noch vor 60 Jahren, zu Beginn der Goldenen Zwanziger, gab es mit Ausnahme des kurzen Stücks auf der Insel, nämlich zwischen den beiden Brücken, in ganz Neu-Ulm keine Straße mit fachgerechtem Grundbau oder befestigter Oberfläche. Um mit heilen Knöcheln über die Schotterpisten zu kommen, brauchte man ein Schuhzeug, wie es in idealer doppelsohliger und genagelter Vollkommenheit nur die Kammer des in Neu-Ulm beheimateten 12. Infanterieregiments liefern konnte.

Wie gut, daß es zu dieser Zeit schon ein öffentliches Nahverkehrsmittel gab: die Straßenbahn! Seit 1897 führte eine Linie vom Bahnhof Neu-Ulm nach Ulm. Freilich, ein im wahrsten Sinne des Wortes „schöner" Grund, das Königreich Bayern in Richtung Württemberg zu verlassen, war damals schon weggefallen: Die Quelle „bei den alten Röhren" im Hof des heutigen Ulmer Stadtbades sprudelte nur noch in der Sagenwelt. Böse Zungen behaupten, Ulmer Geschäftsleute hätten den Hahn zugedreht. Das Wässerchen war nämlich, so berichtet Felix Fabri, der älteste Ulmer Chronist, bei Frauenzimmern der faceliftenden Wirkung wegen sehr beliebt. Sie brauchten sich nur bei Mondlicht dort zu waschen und bekamen wieder glatte Haut. Der Sage zufolge sollen dort Amazonen eine Orakel-Stätte betrieben haben. Geschichtsschreiber Fabri macht die „tapferen, aus unserem Böhmen stammenden Frauen" sogar zu Paten-Tanten: als Bauherrinnen eines Dianatempels in einem Ulmenhain seien sie für den Taufnamen „Ulm" verantwortlich.

In Neu-Ulms Lebensgeschichte geht es ungleich prosaischer zu. Die Geisterwelt der Amazonen war längst säkularisiert oder in den Schnürboden der Biedermeiertheater entschwunden. Alles ging, wie es Napoleons Fuchtel erzwang. Ulm wurde am 31. August 1802 erst einmal bayerisch, ja sogar Hauptstadt der bayerischen Provinz Schwaben. Doch schon acht Jahre später, am 8. November 1810, marschierte die bayerische Garnison wieder ab, und württembergische Regimenter rückten mit vier Kanonen ein. Die Grenze zwischen den Königreichen Bayern und Württemberg wurde in die „Talsohle" der Donau verlegt. Den Grenzfluß hinüber und herüber lief jetzt nicht mehr viel. Ulm war von seinem Hinterland abgeschnitten. Auf der Brücke entstand – worüber im Kapitel über die Kindheitstage der Stadt gleich mehr zu lesen ist – eine Zollstation, deren Beamte von ihrem Landesherren angehalten waren, die Nase in jeden Obstkorb und in jede Mistfuhre zu stecken.

Um den westlichen Eckpfeiler seines Reichs zu stabilisieren, schickte Bayerns bürgerfreundlicher König Max Joseph gleich noch des Bürgers Freund und Helfer an die Grenze: die Polizei. Einer von ihnen, im Rang eines Kommissars, wollte seinem König besonders gefallen (womöglich aber auch nur die Zeit bis zum nächsten Schafkopfspiel in einer der beiden Bierschenken auf dem bayerischen Ufer kreativ überbrücken): er schlug für die paar Häuser – man hört die Schreibfeder sich enthusiastisch ins Papier eingraben – den Namen „Max-Stadt" vor. Der Kommissar hat den Sprung in die Überschrift dieses Kapitels nicht geschafft. Neu-Ulm verdankt seinen Namen göttlicher Eingebung. Nach einer Kindstaufe am 17. November 1811 trug der Pfarrer von Burlafingen, damals zuständig für das Seelenheil der katholischen Grenzbewohner, im Taufregister als Geburtsort „Neuulm" ein.

Einmal auf der Welt, schwirrte dieser Ortsname wie eine lästige Brummfliege über die Lande und setzte sich, ein Jahr später, dem protestantischen Pastor in Pfuhl auf die Nase. Am 16. Oktober 1812 war bei ihm Johann Wilhelm Baron von Langenmantel auf Westheim und Ottmannshausen erschienen, um Töchterlein Antonie Henriette Clara Wilhelmine taufen zu lassen. Als Pate war aus München der Astronom und topographische Calkulator Anton von Steffenelli herbeigeeilt. Bei der notwendigen Eintragung ins Taufregister lehnte sich der Pfarrherr mehrmals in seinem Ohrensessel zurück und sann über Abkürzungen nach. War schon die Berufsbezeichnung des Vaters, „Königlich bayerischer Mauth- und Zolloberamtsoffiziant", ein rechter Tintenfresser, so mußte wenigstens der Wohnort „Ulm auf dem rechten Donau-Ufer" zu einem Kürzel zusammengefaßt werden. Zu „Neuulm" eben.

Es dauerte nicht lange, da hatte sich diese griffige Formel in die Amtsstuben eingeschlichen und wie der berühmte Mückenschiß in Akten festgesetzt. Ganz ohne Bindestrich. Das „Neu" vor dem „Ulm" stets hochzuhalten, erfordert seit dieser Zeit von den Eingeborenen missionarischen Eifer. Denn schon wenige Kilometer im bayerischen Landesinneren – ist's Argwohn oder Herablassung? – heißt es: „Der isch von Ulm draußa" oder „Aha, von Ulm dronta send Sia".

Dabei entstammen diese Neu-Unterschlager und Gebietsabtreter nicht nur den berüchtigten einklassigen Zwergschulen. Nein, sogar Beamte mit Ministerialzulage aus der Landeshauptstadt München begehen die zum weiß-blauen Himmel stinkende Todsünde. Mit patriotischem Ingrimm erinnert sich Franz Josef Nuißl, Oberbürgermeister zu Neu-Ulm von 1919 bis 1945: „Und in München war es kein Versehen des Expeditionsamtes, wenn ab und zu in einer Hohen Entschließung anher bei der Stadtbezeichnung das Vorwörtchen ‚Neu' vergessen wurde." □

Blick auf Neu-Ulm von Süden aus.
Nach einer lithographierten Kreidezeichnung um 1830.
Im Vordergrund die „Herbelwiese", hinter ihr die ersten Häuser der Augsburger Straße.

Blick auf Neu-Ulm von Süden aus.
Nach einer lithographierten Kreidezeichnung um 1830.
Im Vordergrund die „Herbelwiese", hinter ihr die ersten Häuser der Augsburger Straße.

Die Kindheitstage der Stadt

**Von folgenreichen Nebeltagen,
Fehltritten Ulmer Jungfrauen und bayerischen Uhren**

Wenn Geschichtsforscher sich mystisch in den Lauf der Dinge versenken, begegnen sie nicht selten dem Weltgeist, der Unvollkommenes zurechtbiege und stets Kurs auf eine vernünftige Gesellschaftsordnung halte. Doch nur Auserwählte sind mit solcher Seherkraft begabt. Mag sein, daß man sich hierzulande nicht so recht auf die Kunst der Versenkung versteht. Jedenfalls glaubt hier niemand, daß der Hegelsche Weltgeist dem korsischen Militärdiktator bei der Grenzziehung zwischen den Königreichen Bayern und Württemberg die Hand geführt hat. Man hält sie eher für das tragische Ergebnis einer narzißtischen Kränkung, die dem Ulm-Besucher mit dem Zweispitz vom berühmt-berüchtigten Herbstwetter zugefügt wurde: „Eine ganze Woche hindurch jeden Tag naß bis auf die Haut und kalte Füße...", jammerte Napoleon am 19. Oktober 1805 in einem Brief an Kaiserin Josephine. Und wer weiß, ob an seinem im gleichen Billett verkündeten Entschluß, „nun auf die Russen loszuschlagen", nicht auch das in unseren Breiten anzutreffende vermaledeite Herbst-Sauwetter schuld ist.

Es läßt die beiden Donaustädte unter Nebelbänken verschwinden und zieht um sie herum die Regenvorhänge zu. Wären nicht die Ortsschilder an den Einfallstraßen, man wüßte gar nicht, daß es am Zusammenfluß der Iller mit der Donau eine menschliche Ansiedlung gibt.

Also von wegen Weltgeist und Vorwärtsgang: Das einst stolze Ulm wurde zur württembergischen Landstadt ausgenüchtert. Die Preise für Häuser und Grundstücke purzelten ins Uferlose, die Geschäfte in der ehedem so blühenden Welthandelsstadt stockten, Konkurse waren an der Tagesordnung. Darüber wütend, daß ihr Gartenparadies auf dem rechten Donau-Ufer zum Ausland erklärt worden war, boten der Stadtkassier Glöcklen, Dekan Stuber und andere Honoratioren ihre Refugien im Ulmer Intelligenzblatt zum Verkauf an. Wollte nämlich der Herr Dekan sich in seiner Neu-Ulmer Gartenlaube an einem Ulmer Krügel Bier gütlich tun, mußte er gegen Aufschlagsgebühr beim „Königlich Bayerischen Gränz-Ober-Maut-Amte um gnädige Passierlassung" des Gerstensaftes einkommen. Und ohne Zoll brachte Frau Stadtkassier keinen Rettich frisch aus bayerischen Landen am schnurrbartbewehrten Grenzwächter vorbei auf den Abendtisch. Versteht sich, daß der Säugling Neu-Ulm, diese napoleonische Zangengeburt, in diesem Klima nicht so recht gedeihen konnte. Man muß kein Psychoanalytiker sein, um die Schwere des Traumas ermessen zu können, das einem Wickelkind zugefügt wird, wenn es an seiner Wiege statt einer blondgelockten Fee einen wiehernden Amtsschimmel erblickt.

Neu-Ulm war ein schmutzbekrusteter kleiner Flecken. Allabendlich, wenn die 20 noch in den Jahren 1810 und 1811 in diesen Winkel verbannten Beamten das ehrende Joch ihrer Amtspflichten an den rostigen Barackennagel hängten, schlich unter der dunklen Lodenpelerine das Gefühl des Unbehaustseins hoch. In einer Eingabe an die Mautbehörde führte der Manualführer Josef Baumeister bewegt Klage über das „elende Wohnen in einem Gartenhaus". Einige Staatsdiener fanden im winkelverliebten, spitzgiebeligen Ulm Unterschlupf, dabei in Kauf nehmend, daß sie jedesmal beim Grenzübergang ihre Taschenuhr neu stellen mußten: Ulmer und Neu-Ulmer Uhren differierten bis in die 60er Jahre des letzten Jahrhunderts um 10 Minuten. In Neu-Ulm zu leben, war keine Lust. Aus Gram über die Verhältnisse starb 1814 der in jungen Jahren „quieszierte" Rittmeister Clemens Graf Törring. Er hatte seine Zuflucht im Alkohol gesucht und dabei ein Vermögen von 180 000 Gulden durchgebracht. Nein, bayerische Lebenslust wollte nicht aufkommen. Wenn im „Schießhaus", in der „Harmonie" oder in Pfeiffers Garten (siehe weiter unten) Rheinländer oder Polka getanzt wurde, waren die Neu-Ulmer selten mit von der Partie: sie waren mit der Existenzgründung beschäftigt.

Unterdessen hatte nämlich der bayerische König den Brutkasten der Steuerermäßigung über den blaßgesichtigen Grenzort gestülpt. Wer in Neu-Ulm ein Haus baute, wurde fünf Jahre lang von der Haussteuer befreit; wer Moosgründe kultivierte und trockenlegte, brauchte zehn Jahre lang keine Rustikalsteuer abzuführen. Die Galle der Ulmer Lokalpatrioten schlug Wellen. Immer wenn das Rentamt Günzburg zur Versteigerung von Bauplätzen auf dem bayerischen Donau-Ufer schritt, jubelten Ulmer die Preise hoch, um für alle Zukunft eine Ansiedlung zu verhindern. Für Plätze, die mit 1½ Tagwerk auf 100 Gulden geschätzt wurden, boten sie nicht selten 900 Gulden.

Nicht genug damit: Im Arsenal königlich-württembergischer Verhinderungspolitik wurde noch eine andere Waffe geschmiedet. Sollte Ihnen einmal ein hundertfünfzig Jahre alter Band des „Schwäbischen Merkur", einer der ältesten Zeitungen Deutschlands, in die Hände fallen, stechen Ihnen ganz sicher Anzeigen von Auswanderern aus dem Oberamt Ulm ins Auge, Kundmachungen wie folgende:

Ulm (Auswanderung). Die ledige Zimmermannstochter Waldburga Buck aus Söflingen wandert nach Neu-Ulm im Königreich Bayern aus und wird auf Jahresfrist durch Johannes Baur, Bürger in Söflingen, vertreten.

Den 25. Junius 1825, K. Oberamt

Für die Neu-Ulmer sollte der Brotkorb der Delikatessen des Lebens höher gehängt werden. Unbeweibt, die Zeit bis zum Greisenalter mit Essen und Raufen in einer Runde fettwanstiger, wotanbärtiger Männer vertreibend, so stellte sich die Ulmer Obrigkeit den Lebenslauf eines rechtsdonauischen Dorftölpels vor. Die Liaison mit einem solchen galt als bevölkerungspolitischer Fehltritt. Schlug ein jungfräuliches Herz trotzdem einem klobig ordinären Bayern zu, mußte es seine Zuneigung zweimal in vierzehntägigem Abstand im teuren „Merkur" annoncieren und ein Jahr lang einen ressortlosen Abwesenheitspfleger durchfüttern. Kurz: Über Neu-Ulm wurde eine Kontaktsperre verhängt.[1]

[1] Unseren Ulmer Lesern wird das möglicherweise peinlich sein. Doch wir wollen ihre Zornesader nicht allzusehr anschwellen lassen. Was der armen Söflinger Jungfrau Waldburga Buck zugefügt wurde, wurde ihr nicht aufgrund eines nur für Neu-Ulm geltenden Sondergesetzes zugefügt. Diese Regelung galt überall im Königreich Württemberg.

In den 1820er Jahren standen Donaubrücke, Insel und Neu-Ulmer Ufer einem unbekannten Maler Modell

In „das große Archiv der Komik“, von dem der französische Autor Charles Baudelaire spricht, gehört jenes Kabinettstückchen anonymen Volkswitzes aus dem Jahr 1812. Der (erdachte) Ulmer Fuhrunternehmer Märte Banzhaf schreibt seinem (ebenfalls erdachten) Geschäftspartner Michael Bentele, Bauer zu Pfuhl:

Nu Michel, wie gatt ders im Boyerland?
i hau de schau lang nemme gsea;
so lang mer halt iezt wüartabergisch send,
bischt du in der Stadt nemme gwea.

Fürchst du ebba eusseren Schlagbaum gar
und bukst de net geara so krumm?
äs kost nix und kommt uf a Gwoahnet ah,
mier schearet ös gar nix mai drum.

Au brauchst du koi Kärtle zum Aussegau[1],
du gahst, als a Fremder passirt;
doch nimm de beir boyrischa Maut in acht,
da wird ma gar scharpf visitirt!

Ma gatt nemme viel über d' Donabruk,
dös macht: uier Maus[2] ist so klein;
was dös anlangt, sind mer schau selber gscheit,
bei uns schenkt ma gräussere ein.

Wenns Karrawerk no net so glumpet gieng,
so köht i schau zfriedener sei;
ma kauft um sechs Kreuzer beim Roifles Wirt
an prächtiga Schoppa vohl Wei.

Doch standet iezt d' Gwerber fast älle still,
ma hot koin Verdeast und koi Geald;
iezt schoidet ja d' Dona de beschte Froind,
dös ischt a verzipfelte Wealt!

Du glaubst net, wie älles glei lottara thut,
wenn Handel und Wandel net gatt;
drum därscht de au gar net verwundara,
daß manchmaul mei Karrawerk statt.

Doch bhalt i noh ällaweil frischa muaht,
denn d'Zeit schikt se nemme in d'Leut;
ih wehr me, treib äll Täg mein Fuchsa ahn:
„Hi, Rauter! zuih, schik de in d'Zeit!“

Märte Banzaf,
Karramahn in Uhlem.

[1] Passierschein für Grenzgänger
[2] Gemeint ist hier das Maß für die Getränke

Was Wunder, wenn die Be- und Mißhandelten unter ihrer vergilbten Vorhemdenbrust Groll hegten, ihre Zolluntersuchungen „chicanierlich" durchführten oder im Spalierobstgärtchen Ulmer Jungfrauen wilderten: Daß letzteres nicht ganz ohne Erfolg blieb, muß, schenkt man einschlägigen folkloristischen Poemen Glauben, auf eine vor allem Altbayern in die Wiege gelegte Doppelbegabung (Wildern und Fensterln) zurückzuführen sein.

1827 zählte Neu-Ulms Gemeindeschreiber immerhin schon 43 Gewerbebetriebe, die ihren Mann und ihre Frau redlich ernährten. Sie standen sozusagen in den Startlöchern für den edlen, marktwirtschaftlichen Wettstreit mit der Ulmer Konkurrenz, für den der Fall der Zollschranken zwischen den beiden Königreichen am 18. Januar 1828 das Signal zum Aufbruch gab. Der Zollkrieg war passé. Das Gold im Mund der Morgenstund' witternd, fuhr eine buntgemischte Gesellschaft auf 15 Zillen donauabwärts, um im Steinhäule und in der Friedrichsau das festliche Ereignis mit zollfreiem Bier zu begießen. Das Gelage war bengalisch beleuchtet, über dem Tableau glänzten die Namen Ludwig und Wilhelm in Brillantsternen. Dieser Freudentag ist ein würdiger Anlaß, endlich eines Mannes zu gedenken, der seit Jahren schon mit dem Strahl seiner Dichtkunst die Herzen links und rechts der Donau rührte: des Kanzleirats Schlotterbeck aus Ulm. Da er die heikle Aufgabe, das in seinem Bureau hängende Konterfei des württembergischen Königs von Fliegenspuren zu reinigen (wozu man damals Semmelschmolle verwendete), an seinen Amtsdiener delegiert hatte, fand Schlotterbeck genügend Zeit, sich auf alle möglichen Ereignisse in der Arena der Tagespolitik einen Reim zu machen. Der Fall der Zollschranken brachte seinen Geist geradezu zum Moussieren: Für das Volksfest in der Friedrichsau lieferte er eine ganze Reihe von Verslein, die die Zolleinigung bejubelten, Merksprüche wie diesen:

> Heil dir, Danubius, wir segnen deinen Strand,
> Zwar Grenze bist du noch – doch nicht mehr Scheidewand!

Das Steinhäule um 1810

Einer, der die Gunst der Stunde gleich nutzte, war der aus München zugezogene Weinhändler Friedrich Ferdinand Pfeiffer. Er befreite das ausgediente Zollhaus gegenüber der Ulmer Gänslände vom Aktenstaub und verwandelte es, seinem verehrlichen Publikum hüben wie drüben der Donau Glück im Glas verheißend, in eine gemütliche Gartenwirtschaft. Den zeitweise schleppenden Geschäftsgang vom Nockherberg auf dem rechten Isarufer, dem Gipfel der Bierseligkeit, kennend, erbot er sich ab 1832, Ulmer Schwartenmagenliebhaber mit einer Fähre über die Donau zu holen, sogar zu nachtschlafender Zeit: „Um die beschleunigte Abholung der an jenseitigem Ufer behufs der Ueberfahrt erscheinenden Personen wahrnehmen zu können, ist jenseits ein Glockenzug zur Bedienung angebracht, und für sicheren Ein- und Austritt bei der Nachtzeit werde ich, sobald die unzweifelhaften Einnahmen den Aufwand zulassen werden, alsbald durch eine Leuchte auf jedem Ufer sorgen."

Die „Stadt Athen" mit Fähre. Um 1840

Vor allem unter den Geschäftsleuten wollten die Vivatrufe auf ihren Regenten nicht verstummen. Besonders hochleben ließen sie die beiden gekrönten Häupter, als am 8. Juni 1832 nach zweieinhalbjährigen Bauarbeiten mit Trompetenschall die neue Donaubrücke zwischen dem Herdbruckertor und der Insel dem Frachtwagenverkehr übergeben wurde.

Neu-Ulm zählte jetzt schon 394 Seelen, unter ihnen auch den Seifensieder Johann Srna, der am 12. Mai 1832 folgende Anzeige in die Spalten der Lokalpresse einrücken ließ:

> „Unterzeichneter macht einem schätzbaren Publikum
> die ergebenste Anzeige, daß er mit guter Kernseife
> nebst allerlei Gattungen Lichtern aufs beste versehen ist,
> verspricht möglichst billige Preise und gute Bedienung..."

Klappern gehörte schon damals zum Handwerk. Aus dem Seifensieder wurde schon bald der Seifenfabrikant. Sein Töchterchen Katharina durfte zusammen mit den Landrichterskindern Max und Mathilde Hummel der Kaiserin von Brasilien, die im August 1829 in Neu-Ulm Station machte, die Aufwartung machen. Gerührt von dem Empfang in dem kleinen Grenzort, schenkte der hohe Gast den Armen 300 Gulden und den Kleinen ein Gebetbuch mit silbernen Beschlägen, in dem die handschriftliche Widmung stand: „Zum Andenken von Ihrer Majestät, der Kaiserin von Brasilien. Neu-Ulm, 5.8.1829." Zur Mittagszeit des 16. Juli 1833 traf Seine Majestät der König Ludwig von Bayern – er war auf dem Weg zu einer Badekur – vor dem Neu-Ulmer Polizeibureau ein. Anhänglichkeit und Ordnungsliebe seiner Untertanen an der Donau ließen ihm das Herz übergehen: „Ja die Schwaben sind brav, meine Schwaben, besonders meine Oberschwaben, werden nie von dem verderblichen Schwindel sich hinreißen lassen..."

„Grundsteinlegung der Bundesvestung Ulm den 18. October 1844 auf der bayerschen Seite"

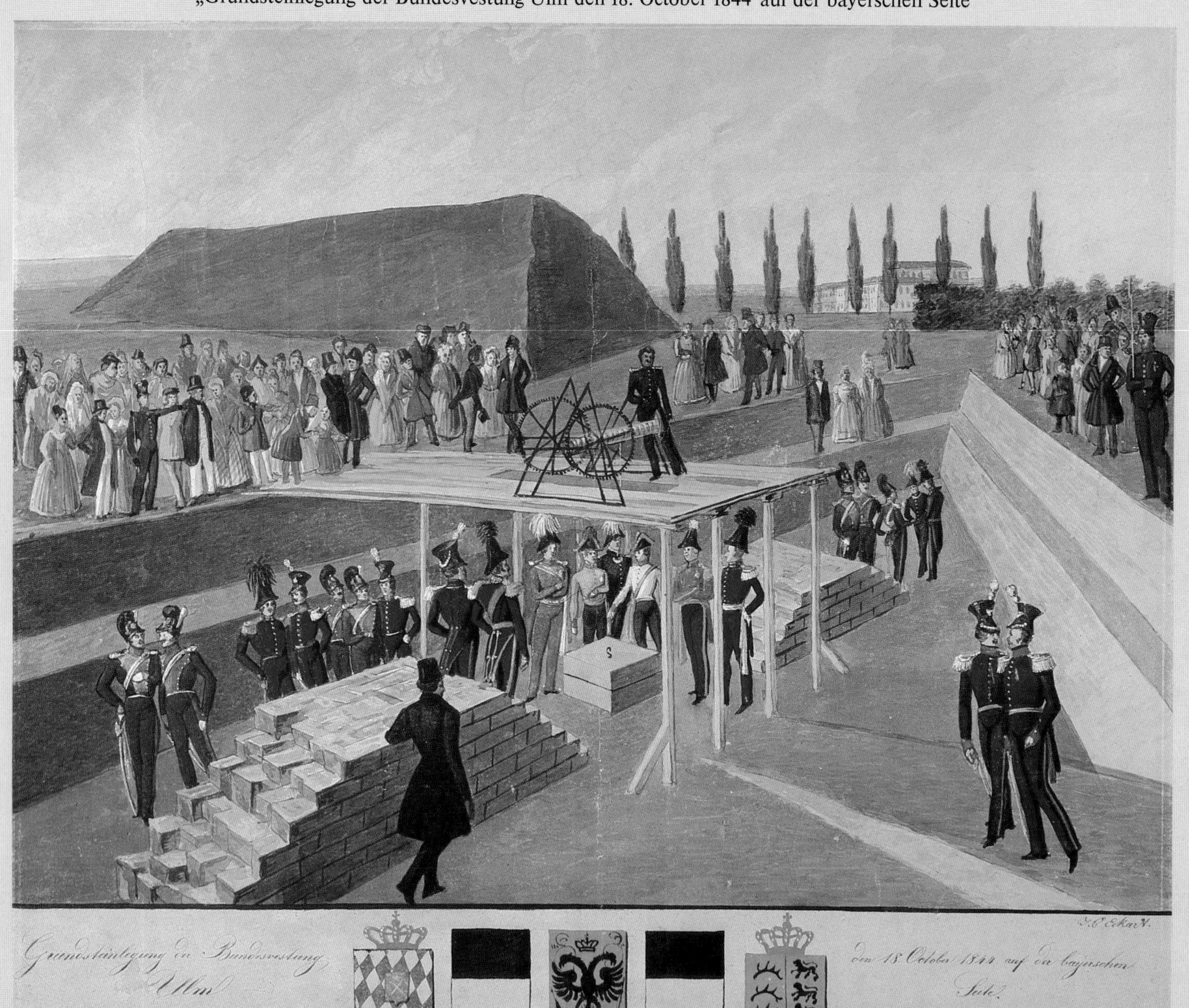

Neu-Ulm wird zum Brückenkopf der Bundesfestung Ulm ausgebaut

Von einem gigantischen Museumsbau, allerhöchsten Befehlen zur Ortsbildkosmetik und einem Mesner auf Wildschweinpirsch

Auf dem Wall, hoch über der bogengegliederten Escarpenmauer, biegt, eine Gitarre unter dem Arm, ein junger Musiker von interessanter Blässe in die Zielgerade Richtung Heimat ein. Aus dem Ausfalltor des vorderen Rondenganges stapft eine Mama mit artigen Ponyfransen und einer blauen Airline-Tasche hinter ihrer sommersprossigen Tochter her. Ein Nachwuchs-Feuerwehrmann klammert sich, schon etwas müde, mit seinem Beinchen auf dem Sockel einer Wasserfontäne neben der Caponniere fest. Am Ufer der Cunette, etwas zweckentfremdet „Forellenbächle" genannt, bereitet eine junge Dame mit lila eingesäumten Augenlöchern, drei Nummern zu schön für Neu-Ulm, ihren schieberbemützten Jüngling auf die Zweisamkeit im Freien vor. Aus dem Glacis keucht mit Riesenschritten ein einsamer Langstreckenläufer auf der en crémaillère, auf gut deutsch: zickzack angelegten Kiesbahn zur Poterne. Auf dem Gedeckten Weg, der Brustwehr, stolpert ein Taschen-Winnetou, erschöpft von der Jagd auf schuftige Komantschen, über den Schützenauftritt. Bald bauschen sich die Kronen der Baumgiganten des Glacis-Stadtparks in der Dunkelheit und bergen unter ihren Blättern die Nacht. Jetzt nur nicht kneifen: Gleich erwartet Sie der Geist des berühmten französischen Artillerieoffiziers und Festungsbauingenieurs Marc René Marquis de Montalembert (1714–1800) zu einer Führung durch dieses einzigartige Freilichtmuseum des Wehrbaus auf Neu-Ulmer Boden.

Nach dessen elf Bände umfassenden Rezeptbuch mit dem Titel „La fortification perpendiculaire" bastelte nämlich der von der bayerischen Krone bestimmte Ingenieur-Major von Herdegen das Modell der Enceinte, der Hauptumwallung, auf dem rechten Donau-Ufer, die heute zusammen mit den Wällen und zinnenbewehrten Toren, den Dürer-Türmen und eingewölbten Kasemattbauten der Ulmer Fortifikation Europas größte Festungsanlage bildet.

Am 18. Oktober 1844 – Festungsbaudirektor von Herdegen hatte sich unterdessen mit einem Pistolenschuß entleibt und damit seine Planstelle dem königlich-bayerischen Ingenieur-Major Theodor Ritter von Hildebrandt freigemacht – wurde mit „Pöllerschüssen" der Grundstein für das von unserem Marquis ausgetüftelte „Polygonalsystem" gelegt: ein halbes Achteck, bestehend aus vier geraden, bis zu 700 Meter langen Fronten mit je einer Caponniere als Mittelstück. Diese eingeschossigen, erdbedeckten, vorn spitz zulaufenden Bauwerke bargen in ihrem Inneren auf jeder Seite sieben Kasematten, aus denen Geschütze die jeweiligen Grabenseiten bestreichen konnten.

Um die eleganten Erdmodellierungen und das schöne rote Backsteingemäuer mit kunstvoll verzahnter Tuffkalksäumung möglichst lange, d.h. unversehrt durch feindliche Geschützkugeln, Leiterstürme und Kartätschen für die ausführenden Baumeister werben zu lassen, wurden im Vorgelände drei selbständige, „detachierte" Festungswerke errichtet: die Pfeilschanze Schwaighofen, die Ludwigsvorfeste (im Areal der amerikanischen Wiley-Kaserne gelegen) und das von einem Rundwall mit 30 Schießkammern halbkreisförmig umschlossene Vorwerk 14 zur Sicherung gegen Donau und Illerniederung.

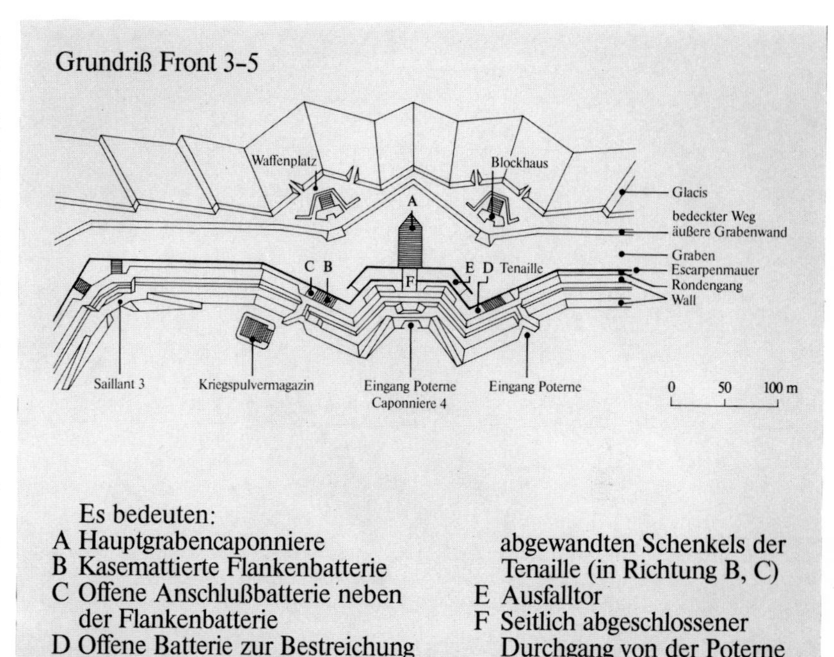

Die Anlage des Mittelstücks einer Front im Längsblick

Das Augsburger Tor von innen

Das Augsburger Tor von außen

Das Memminger Tor von außen

[1] Im Jahr 1847 verdiente ein Schanzer 50 Kreuzer pro Tag, ein qualifizierter Maurer gar 1 Gulden 30 Kreuzer und mehr. Für Viktualien wurden damals auf dem Ulmer Wochenmarkt folgende Preise notiert:

1 Maß	Lagerbier	8 Kreuzer
1	Huhn	14 Kreuzer
1 Pfund	Ochsenfleisch	11 Kreuzer
1 Pfund	Hammelfleisch	7 Kreuzer
1 Pfund	Schweinefleisch	10 Kreuzer
5 Pfund	Roggenbrot	9 Kreuzer
1 Maß	Milch	5 Kreuzer

In den Regieöfen der staatseigenen Ziegelbrennereien bei Pfuhl ging das Feuer nicht aus, denn auch innerhalb der mächtigen Erdaufschüttung des Walls wurde „geschanzt“: neben Ställen, Lafettenstadel, Palisaden- und Geschützschuppen entstanden Schirrhof, Heu- und Proviantmagazine sowie zwei Kriegspulvermagazine, zweigeschossige, rechteckige Kasemattbauten, in deren Nischen je 1200 Zentner Pulver für den Verteidigungsfall trockengehalten wurden. Das gewaltigste Bauwerk im Inneren der Enceinte wurde das Kriegsspital, unmittelbar westlich der Memminger Straße: ein ursprünglich dreigeschossiger, bombensicher gewölbter Bau mit zwei Flügeln, von dessen hoher Dachplattform aus mit den damals üblichen glatten Hinterladern über die davorliegende Wallkrone geschossen werden konnte.

Mit den insgesamt 6 Millionen Gulden, die die Bundeskasse in Frankfurt für die Befestigung des Brückenkopfes (einschließlich Grunderwerb) zu investieren bereit war, drohte ganz Neu-Ulm zugemauert zu werden. Daß das vielleicht Handel und Wandel beeinträchtigen könnte, scheint als ersten den Ulmern gedämmert zu haben. Als am 25. Juni 1847 die Bundes-Militär-Kommission unter dem k. k. General von Nobili die Mauerarbeiten inspizierte, schickte das Ulmer Stadtparlament zwei seiner Mitglieder, Stadtrat Murschel und den Mohrenapotheker Reichard, an die Front, den General zu einer Toröffnung im Süden der Festung zu bewegen, damit „die Passage zu den Ulmer Feldgütern offen erhalten bleibe“. Von Nobili, ein würdegeblähter Amtsgockel, hatte nur Spott für die Petenten übrig: Wegen der Kleinigkeit eines Umweges von 10 Minuten könne der Plan nicht geändert werden.

Wer mit seinem Fuhrwerk aus Neu-Ulm heraus- oder in die Stadt hineinfahren wollte, dem standen (bis zum Bau der sogenannten Mittleren Durchfahrt) nur zwei Tore offen: das Augsburger Tor beim unteren Donauanschluß (es wurde 1960 abgetragen) und das Memminger Tor beim Donauanschluß im Westen Neu-Ulms, auch heute noch Gegenstand der Genüsse und der Belehrung, vor allem für Leute vom Bau. Architekten läßt der wohlproportionierte Baukörper aus finsterem Grübeln über die baukünstlerische Einheit in der Vielheit der Glieder erwachen; Maurerpoliere geraten (begreiflicherweise) angesichts der Blendfelder über dem Rundbogen und des aus verkanteten Backsteinen gebildeten Zahnschnittfrieses ins Schwelgen; Burgenromantiker finden ihr Wohlgefallen an den noch erhaltenen Details der Zugbrückenmechanik; Dreikäsehochs sind voll des Lobs über die eisenbewehrten Torflügel, in denen ein kinderfreundlicher Handwerker eine Schlupfpforte ausgespart hat als Einstiegsluke ins Abenteuerspiel.

Die Neu-Ulmer, damals rund 600 an der Zahl, kamen aus dem Staunen über die Großbaustelle nicht heraus, hatte doch München einst ihren Wunsch nach einer Kaserne mit der Begründung abgelehnt: „Wenn eine solche an dieser Landesgrenze als notwenig angesehen werden sollte, dergleichen auf allen Landesgrenzen errichtet und die Militärbauten auf eine ganz außerordentliche Weise zunehmen müßten.“ Jetzt plötzlich bekamen sie, was sie zur Ankurbelung ihrer Wirtschaften (und natürlich auch des ortsansässigen Gewerbes) brauchten: zahlende Gäste. Um die Stadt Ulm, wie bereits 1818 vom Militärkomitee des Deutschen Bundes in Frankfurt beschlossen, zu einer „Zentralfestung ersten Ranges und zu einem großen Waffenplatz“ mit einem Brückenkopf auf dem bayerischen Donau-Ufer auszubauen, strömten die Gastarbeiter aus allen Teilen des Reichs zusammen: bis aus Sachsen und Schlesien, ja sogar aus Tirol kamen die Schanzer, Steinhauer, Zimmerleute und Maurer, um sich nach zwölfstündigem Arbeitstag (die Arbeitszeit dauerte im Sommer von 5.30 Uhr bis 18 Uhr, winters von 7.30 Uhr bis 17 Uhr) in durstiger und hungriger Eintracht in den Stätten des Verzehrgewerbes einzufinden.

Ihr Lohn war nicht schlecht und lag oft noch über dem eines gut verdienenden Handwerksgesellen.[1] Durch den leichten blauen Holzrauch aus Neu-Ulmer Schornsteinen schimmerten die Sonnenstäubchen königlicher Gunst. Nicht nur, daß einige Kreuzerchen aus den Lohntüten der Festungsarbeiter über rechtsdonauische Ladentheken und Schanktische wanderten. Bayernkönig Ludwig I., vom greisen Dichterfürst Goethe als „merkwürdiges, vielbewegliches Individuum“ bestaunt, hatte noch größeres mit Neu-Ulm vor. „Neu-

Ulm, dir fehlt, was Ulm hat; möge daher", so etwa ließe sich seine farbensatte Vision in Worte übersetzen, „die Befestigung so weit gezogen werden, daß eine neue Stadt darin Platz finde." Festungsbaudirektor Ritter von Hildebrandt mußte sie bis an die Grenze der Enceinte entwerfen: mit einem Netz einander rechtwinklig schneidender Straßen, dem sogar der alte Ortskern zwischen Augsburger Straße, Marien- und Donaustraße weichen sollte, und einem Waffenplatz von der jetzigen Hermann-Köhl-Straße bis zur Ludwigstraße als Herzstück.

Beim letzten Schliff für den jüngsten Halbedelstein in Bayerns Krone legte der Monarch, allmorgendlich um halb fünf Uhr früh, wenn noch der ganze Max-Josef-Platz im Dunkeln lag, beim Lampenschein am Schreibtisch werkelnd, Anfang 1845 selber Hand an. „Seine Majestät der König haben nachträglich zu allerhöchster – Neu-Ulms Bauplan betreffender – Entschließung zur Nachachtung allerhöchst zu befehlen geruht, daß die dort aufgeführt werdenden Häuser ordentlich zusammenhängend, Haus an Haus aneinander sich anschließend, also ohne Zwischenräume sowie ohne Gestattung von Hofthoren usw., aufgebaut werden wollen." Ganz wie der „oberste Stadtbauingenieur" es wollte, schossen im feuchtwarmen Erdreich der ehemaligen Rettichparadiese an der Augsburger Straße, der Kasern- und späteren Blumenstraße alsbald Häuser in die von der Bauaufsicht vorgeschriebene Geschoßhöhe: mit winzigen Dachluken, die Stichbogenfenster in allerflachster Wölbungsform und glatt durchlaufenden Gesimsen, damit ja keine Vertikale die horizontal in die Tiefe fließende Front störe. Und bevor man daran dachte, die Hände gegen den König (und sein Operettengschpusi, die hergelaufene Tänzerin und kecke Halbweltdame mit dem sonor klingenden spanischen Namen Señora Maria de los Dolores Porris y Montez, genannt Lola) zu erheben, spuckte man hierorts lieber in dieselben und setzte, damit der Ort schnell ein Gesicht bekomme, Backstein auf Backstein. Auch daß anderswo, wie etwa drunten in München, im Kampf um Ministerverantwortlichkeit, Pressefreiheit, Wahlreform und Öffentlichkeit der Rechtsprechung Barrikaden errichtet und Polizeistationen gestürmt wurden, kannte man in den Neu-Ulmer Baugruben nur vom Hörensagen.

Selbst die 1500 Gastarbeiter in den Festungsgräben des Brückenkopfs zeigten sich gegenüber revolutionären Ideen relativ zugeknöpft. Weit mehr erhitzten die steigenden Lebensmittelpreise ihre Gemüter. Mit seinem Verdacht, der Krawall auf dem Ulmer Kartoffelmarkt vom 1. Mai 1847 sei zwischen „Neu-Ulmer Schanzern und der Ulmer Hefe" abgekartet worden, mag der Leitartikler der konservativen „Ulmer Kronik" auf der richtigen Fährte gewesen sein: Der Anlaß für diesen Tumult (gerichtlich taxierter Schaden 11 000 Gulden) lag eindeutig in den überhöhten Preisen (mit Teuerungsraten über 300 Prozent), die die Bauern den Leuten abzuknöpfen versuchten.

Die Schanzer betrachteten ihre Arbeit als Ehre. Noch heute lobt das monumentale Werk den Meister. Als freilich der königlich-bayerische Ingenieur-Oberst Spieß, Vollender der fantastischen Anlage, am 1. August 1857 glückversunken die Fronten abschritt, inspizierte er – ein Museum. Die Waffentechnik war den Festungsbauern mit Siebenmeilenstiefeln vorausgeeilt.

Nur einmal wurde das Bollwerk, das der Marquis de Montalembert so vortrefflich ersonnen hatte, auf seine Nehmerqualitäten getestet. Es war ein unheimliches Bild, als die feindlichen Truppen zu nachtschlafender Zeit im Fackellicht mit ihren Leitern aus dem Unterholz des Glacis' hervorbrachen. Die Kämpfer auf beiden Seiten hatten sich mit handfesten Knüppeln ausgerüstet. Bald saßen sie sich rittlings auf der Escarpenmauer gegenüber und versuchten verzweifelt, ihren Herzen in gröbsten Landsknechtsverwünschungen Luft machend, sich gegenseitig in den Graben zu werfen. Einige Feinde wurden von den Leitern geschüttelt wie Äpfel von den Bäumen. Aber schließlich gelang es ihnen doch, an einer Stelle in das Fort einzudringen und im Morgengrauen den inneren Wall zu erstürmen. Schaden nahmen dabei nur die Uniformen: sie waren „vom Platzpatronengefecht durchlöchert". Das Ganze war nämlich nur eine Festungskriegsübung, bei der im Juli 1913 das württembergische „Pionierbataillon 13" angreifende bayerische Truppen das Fürchten lehren sollte.

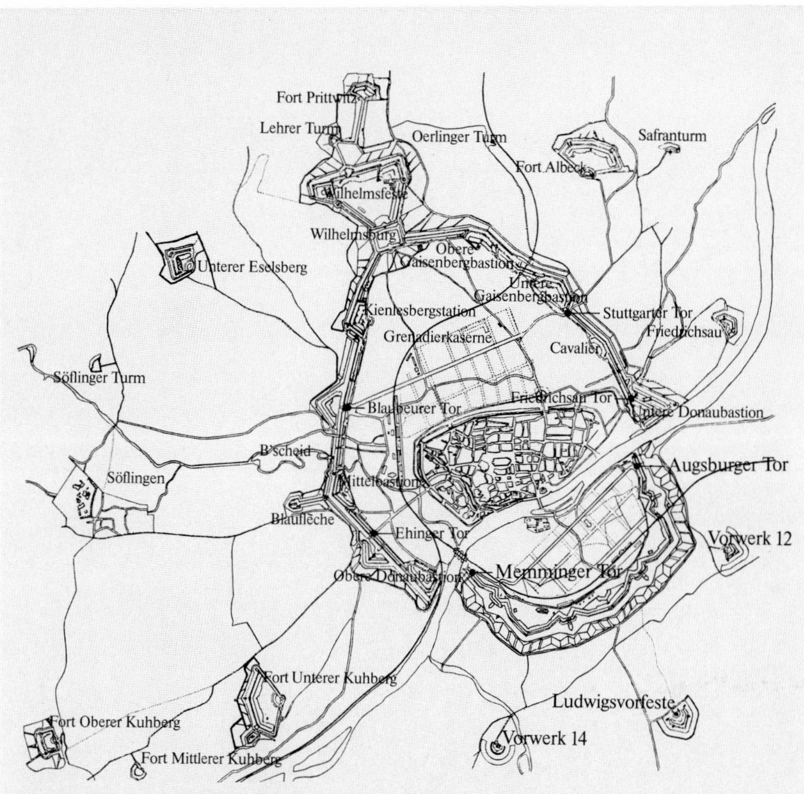

Gesamtplan der Bundesfestung Ulm. Die kenntnisreichen Illustrationen zum Festungsbau stammen alle aus der Feder von Herrn Hellmut Pflüger, Ulm

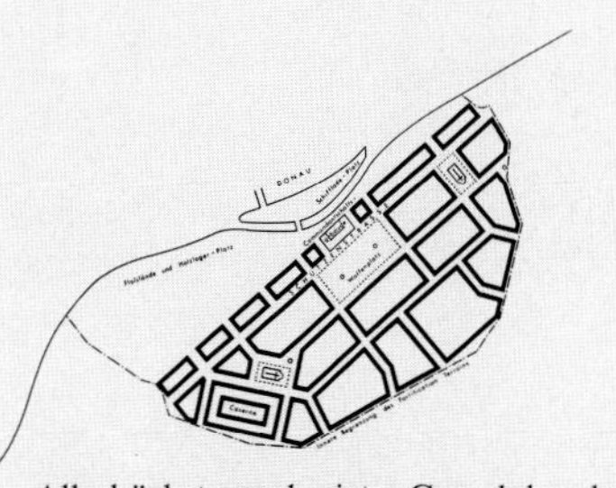

„Allerhöchst genehmigter Grundplan der für die Erweiterung Neuulms bis an die Grenzen des Fortifications-Terrains verwendbar bleibenden inneren Räumlichkeit" (1844)

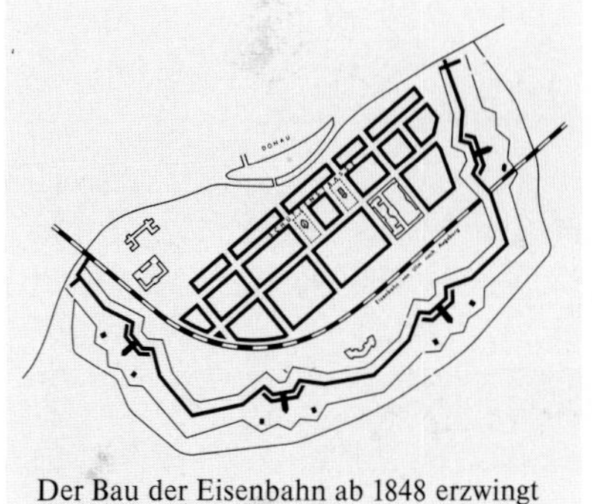

Der Bau der Eisenbahn ab 1848 erzwingt dann eine weitgehende Abänderung des Grundplans

Das Memminger Tor heute

Kam in dem Grundstein-Schacht zum Vorschein: ein auf Porzellan gemaltes Portrait des Bayernkönigs Ludwig I.

Am 12. Oktober 1919 versammelte sich eine illustre Gesellschaft bei der sogenannten „Mittleren Durchfahrt“, um den Grundstein der Festung zu entheben. Direkt am Schacht stehend (von links) Hauptlehrerin Maria Grambihler, 2. Bürgermeister Clemens Högg, Altbürgermeister Josef Kollmann (mit Bart), neben ihm Oberbürgermeister Franz Josef Nuißl.

Neu-Ulms Enceinte blieb – der melancholisch gewordene Marquis empfindet es ganz gewiß als klaffende Lücke in seiner Biographie – „jungfräulich“. Die weise Mutter Natur überwucherte sie bald mit Sträuchern und allerlei Kräutchen, weswegen der um den Wasserturm gelegene Teil der Fortifikation im Jahr 1910 nach Bürgermeister Hofrat Josef Kollmann Kollmannspark genannt wurde. Im Glacis und auf den Wällen drumherum ökologisches Stadtgrün mit mischwaldähnlichen Baumbeständen, in den Mauerritzen der Bittersüße Nachtschatten, Zimbelkraut und Mauerraute, in den Schießscharten Fledermäuse.

Anno 1930 wollen der hiesige Tabakwarenhändler Kiechle, Metzgermeister Otto und der Wirt von der „Bavaria“ sogar ein Wildschwein mit mächtigen, scharfen Hauern dort entdeckt haben. Ihr Stammtischgenosse, der evangelische Mesner Strobel, von den ins kochende Wasser geschabten Teigwürmchen angewidert (den aus dem Mönchslatein stammenden Namen „Spätzle“ nahm er gar nicht in den Mund), erhob sich, innerlich schmatzend, gleich von seinem Platz in der „Bierhalle“, bewaffnete sich mit einem Speer aus der Zeit der Religionskriege und eilte zum Kollmannspark, in der Hoffnung, den feinen Braten beim Suhlen im Forellenbächle erlegen zu können. Dort stünde er freilich heute noch, hätten ihn nicht seine Zechkumpanen zum korporativen Bierschlürfen zurückgewinkt. □

Das steinerne Portal zum Kollmannspark mit der Jahreszahl 1910

Von der Natur überwuchert: Festungsgemäuer

Bild rechts:
Auf einem Kriegspulvermagazin wurde 1898 der Wasserturm errichtet.
Im Vordergrund Fußartilleristen mit Flachfeuergeschützen

Die Stadtmitte von Neu-Ulm zwischen 1870 und 1875
mit Zwölferkaserne und dem ersten (1853 erbauten) Bahnhof.
Darüber das Stadtsiegel der „Landgemeinde“ aus dem Jahr 1857

Die Sturm- und Drangperiode bis zur Stadterhebung 1869

Von einer körndlgefütterten Landperle, die auszieht, Prinzipalin zu werden

Über Geschmack läßt es sich trefflich streiten. Der eine bevorzugt als Ehegespons den etwas stämmigeren Typ Putzteufel, der andere hält es mehr mit der Kategorie „langbeinige Party-Sphinx". Doch um Magdalena Barbara, Tochter des Ulmer Bürgermeisters Albrecht Ludwig von Schad, dürften selbst abgefeimte Mitgiftjäger einen Bogen gemacht haben. Das Geographisch-statistisch-topographische Lexikon von Württemberg aus dem Jahr 1833 porträtiert sie so: „Mit ihrem Kopfe konnte sie zu keinem gewöhnlichen Fenster hinaussehen, ihre Arme waren so dick, wie ein mittelmäßig corpulenter Mann um den Leibe, ihre Füße sogar noch weit dicker. Ihr gewöhnliches Frühstück bestand in 12 Kreuzergeigen, in Meth eingeweicht, ihr Mittagsmahl in 7 Pfd. Fleisch ohne Zuspeise; des Tags über verzehrte sie gleichsam spielend 6–8 Batzenleibe und trank dazwischen außer 1½ Maß Kirschengeist Wein und Bier zur Genüge."

Heutzutage würden der Armen wenigstens Zuneigung und Interesse einer akademisch gesteuerten Abspeckrunde zuteil; damals aber mag sie sich wohl voller Kummer und – wer mag ihr's verdenken – Neid in ihre Kammer verkrochen haben, ausgeschlossen aus „des Volkes wahrem Himmel", dem Getümmel der Volksfeste, wie z. B. dem des landwirtschaftlichen Distriktsfestes, das am 18. und 19. September 1855 drüben auf der Neu-Ulmer Herbelwiese (also dem Gelände südlich der Augsburger Straße – siehe Bild Seite 15) abrollte. Nur schade, daß die deutsche Ansichtskartenindustrie nicht auf dem Posten war und die bunte Betriebsamkeit abkonterfeite. Aber wenigstens war ein wortgewandter Reporter von Ernst Nüblings Ulmer „Schnellpost" um Farbe auf seiner Sprachpalette bemüht:

„Die Turmuhr des Bahnhofs schlug 7... das Städtchen war bereits mit der Toilette fertig. Von allen Häusern wehte die weißblaue Fahne, Kränze hingen von einem Fenster zum anderen, alles war im schönsten Schmuck; das Hauptaugenmerk zog aber die Herbelwiese auf sich. Säulen aus Tannenreis mit bayerischen Fahnen bildeten ihr Grenzzeichen, in der Mitte erhob sich der glattgeseifte, mit allerlei Gaben von oben herab lockende Klettermast und im Hintergrund die schön dekorierte Festtribüne mit der blumengekrönten Bildsäule Maximilians, des bayerischen Königs. Während eine nicht geringe Anzahl Menschen schon des Morgens früh auf der Herbelwiese bummelte, bildete sich um die Schranne ein Kranz von allerlei stolzem Vieh, unruhige Hengste, schlanke Stuten und frommbeschauliches Rindvieh."

Haben Sie genau gelesen? Städtchen schrieb der Redakteur. Seinem Leserpublikum muß ein heißes Triumphgefühl Blut in die Wangen getrieben haben, zählte doch Neu-Ulm – juristisch gesehen – immer noch zu den Landgemeinden. Bürger einer Stadt zu sein, das gerade fehlte den Neu-Ulmern noch zum Glück eines warmsonnigen Lebensabends.

Dabei hatten sie in ihrer Zitadelle bereits eine Vielzahl von Einrichtungen, die die Rangerhöhung gerechtfertigt hätten. Bereits am 26. März 1822 hatte sich ein Arzt auf dem rechten Donau-Ufer niedergelassen. In seiner Praxis über dem Wirtshaus „Zum Löwen" behandelte Xaver Hatzler, Doktor der Medizin und Operateur, alle Neu-Ulmer Wehwehchen: von Atemnot bis Zipperlein.

Die dafür notwendigen Tinkturen zur äußeren und inneren Anwendung gab's bei dem sangesfreudigen Apotheker Anton Wolff in der Marienstraße. (Nach seinem Begräbnis im Jahr 1839 auf dem Friedhof in Burlafingen – dort waren Neu-Ulms erste Katholiken eingepfarrt – faßte die Trauergemeinde, zum Weihetrunk im „Schlößle" in Offenhausen versammelt, den „mehrstimmigen" Entschluß, die „Sängergesellschaft" aus der Taufe zu heben: der erste Verein war geboren.)

Schon Anfang der 30er Jahre wurden in der Gendarmeriekaserne Räume angemietet, um die Schule im Dorf zu haben. Bis 1832 mußten die katholischen ABC-Schützen in Ulm die Schulbänke drücken; die protestantischen Kinder marschierten bis 1834 in die Einmaleinswerkstatt in Pfuhl.

1842 hatte Dr. jur. Kienast Einzug gehalten in das eben errichtete Neu-Ulmer Landgericht, das damals noch zwei Behörden unter einem Dach versammelte: Rechtsprechung und Bezirksverwaltung.

Am 2. Februar 1842 hatten sich einige Honoratioren in der „Stadt Athen" versammelt, um über die Gründung einer „Bürger-Gesellschaft" zu beratschlagen. Zum Sammeln geblasen hatte Maurermeister Peter Steiger, Ortsvorsteher von 1833 bis 1842. Jedes Mitglied mußte sich „zu einem wöchentlichen Beitrag von drei Kreuzer Einlage in die Gesellschaftskasse verbindlich machen", aus der dann in Not geratenen Einwohnern geholfen wurde. Wagnermeister Scheifele brachte 1851 die „barmherzigen Samariter" vorübergehend auf Abwege: Vereinsmitglieder verliehen Geld gegen Zins. 1873 war der caritative Zweck aus der Satzung verschwunden. Aus der Gesellschaft wurde der „Bürgerverein Neu-Ulm".

Seit Januar 1844 konnten Fahrpostreisende vor dem Café Kallhart (später nach seinem neuen Besitzer in Café Fromm umgetauft) in die vierspännigen Eilwagen oder ordinären Kurswagen – Reisegeschwindigkeit 12 km/h – der Taxispost zusteigen. Neu-Ulms erster Postbeamter, Elias Dietrich Kallhart, der mit seiner königlichen Briefsammelstelle 1837 in der Konditorei und Spezereihandlung seines Vaters Unterschlupf gefunden hatte, war gerade zum Postexpeditor ernannt worden.

Die mittelgescheitelten Handlungsgehilfen in den Comptoirs und Magazinen des Neu-Ulmer Gewerbes kamen aus den Ärmelschonern nicht mehr heraus. Die Eisenbahn machte ihnen gehörig Dampf. Am 26. September 1853 war die Bahnlinie nach Augsburg eröffnet worden, zehn Jahre später die Illertalbahn. In der Statistik des Güter- und Personenverkehrs rangierte der Neu-Ulmer Bahnhof bald ganz oben. Die Büros der Beamten ware freilich armselig; für die Reisenden aller drei Wagenklassen gab es nur einen Wartesaal, in dem ein Teil der Bahnbediensteten auch noch das Nachtlager aufschlug.

In seiner Offizin in der Hafengasse 2 war 1853 schließlich der Druckereibesitzer Johann Wilhelm Helb mit behäbigem Biedersinn in das Geschäft mit der Nachricht eingestiegen. Mit dem „Neu-Ulmer Anzeigeblatt für das In- und Ausland" gab es jetzt auch auf dem rechten Donau-Ufer ein periodisch erscheinendes Presseorgan.

Das alles konnte den König Max II., der allerdings den Nordlichtern in vielerlei Hinsicht mehr zutraute als seinen bayerischen Untertanen, doch nicht kalt lassen. Um die Aufmerksamkeit des Monarchen, von dessen nervösen Kopfschmerzen man auch in Neu-Ulmer Amtsstuben Wind bekommen hatte, möglichst „schonend" zu erregen, schickte man 1856 ein Gesuch um Genehmigung eines Stadtwappens auf die Reise. Mit einer Begründung, versteht sich, aus der das Möchtegern-Städtchen dem Herrscher appetitlich angerichtet entgegenlachte: „Gegenwärtig zählt diese junge Gemeinde 975 Einwohner, 145 im neuen, wenn auch im einfachen städtischen Baustyle erbaute Häuser, ist mit einer 500 Mann starken Garnison belegt, die in Folge Bundesbeschlusses wohl in Bälde ums dreifache erhöht werden dürfte, enthält eine königliche Eisenbahn- und Poststation, hat eine sehr besuchte Getreideschranne und zwey lebendige Jahrmärkte und kann, wie aus der jüngsten Landtagsverhandlung zu entnehmen, dem Baue zweier Kirchen entgegensehen. Die Bewohner selbst sind zur größten Mehrzahl junge und gewerbsthätige Bürger, und da Neu-Ulm als der Brückenkopf der Bundesfestung Ulm mit einer Mauer umgeben ist, so hat diese Gemeinde wieder ganz das Ansehen einer jungen Stadt erworben, welche von Jahr zu Jahr an Bevölkerung und Häuserzahl heranwächst und sichtbaren Aufschwung nimmt." Der König, gewohnt, vor jeder wichtigen Entscheidung Liberale und Konservative, Großdeutsche und Kleindeutsche, den evangelischen Konsistorialrat und den katholischen Bischof zu konsultieren, dachte bis ins Jahr 1857 über den Entwurf des Nürnberger Heraldikers Heideloff nach, strich Schilfrohrbündel und Kornähre als überflüssigen Zierat heraus und bewilligte das Wappen. Durch diesen allerhöchsten Gnadenakt wußten sich die Neu-Ulmer wenigstens im Vorhimmel: wenn auch noch nicht „Städter", so waren sie doch immerhin mit einem Stadtwappen dekoriert.

Die Spitzen der Gesellschaft waren jetzt von Avancierglut erfüllt. Mit gemächlichem Zuckeltrab war es aus. Neu-ulmische Hau-ruck-Mentalität mußte zum Beispiel Georg Freiherr v. Stengel, königlicher Kreisbaurat und Planer der katholischen Kirche St. Johann, erfahren. Nach Ansicht des Ortsvorstehers Anton Stiegele, seines Zeichens Wichsefabrikant, hätte das neuromanische Bauwerk, für das im Juni 1857 der Grundstein auf der Herbelwiese gelegt wurde, bereits im Jahr 1858 vollendet sein können. Tatsächlich ließ sich der Freiherr, für seine nebenamtliche Tätigkeit als Kirchenbauer mit 200 Gulden pro Jahr entlohnt, Zeit bis zum 26. November 1860.

Auch den Protestanten, für die von Stengel drei Jahr später einen schlichten Backsteinbau mit neugotischen Details entworfen hatte, behagte die Gangart des königlichen Kreisbaumeisters nicht. Den ersten evangelischen Gottesdienst hielt Vikar Port – „Das wahre Christentum kennt keine Confession, steht als eine Herde unter einem Hirten" – am 31. März 1867 in der katholischen St.-Johann-Kirche. Am Vortag der Einweihung der Petrus-Kirche – um das Geburtsfest zu einem Doppelfest zu machen, legt man es auf den 25. August, den Geburtstag „unseres geliebten Königs Ludwigs II." – notierte der Reporter des „Neu-Ulmer Anzeigeblattes" mit Entsetzen: „Geht man gegenwärtig an der evangelischen Kirche vorüber, so hört man ein Tönen und Hanthieren, so daß man versucht wird, dem Getöse folgend, in die Kirche einzutreten. Dort sind es die Töne der Orgel, hier der Hobelstoß, wo anders die Hammerschläge und im Hintergrund sieht man ruhig eine Säule um die andere emporsteigen.

1861 hatte der ökumenische Gedanke die fortschreitenden Neu-Ulmer allerdings noch nicht eingeholt. Auf dem neuen Friedhof draußen vor den Mauern wurden die seligen Verstorbenen streng nach Konfessionen getrennt zu Grabe getragen. Wie schon die ganzen Jahr vorher, als Protestanten auf dem Pfuhler Friedhof, Katholiken auf dem Gottesacker in Burlafingen zur letzten Ruhe gebettet wurden. Diese Ruhe aufs empfindlichste gestört erachtete der katholische Stadtpfarrer und spätere Domkapitular Johann Michael Haslinger, als 1875 die israelitische Kultusgemeinde in unmittelbarer Nachbarschaft der ihm anvertrauten Toten eine Gräberabteilung errichten wollte. Die städtischen Kollegien indes waren bei der Debatte über den Friedhof am 15. Oktober 1875 friedfertiger gestimmt als Herr Hochwürden und schmetterten seinen Einspruch ab.

Daß sie dereinst in heimatlicher Erde ruhen können, dafür nahmen die Neu-Ulmer einiges in Kauf, konnten sie sich doch weder ein Denkmal aus Marmor oder Basalt setzen, noch einen bronzenen Schutzengel zu ihren Füßen Wache stehen lassen. Der Friedhof lag nämlich in der Feuerlinie der Enceinte, im sogenannten ersten Rayon, in dem – so verlangte es der oberste Kriegsherr – keine künstlichen Hindernisse die Verteidigung erschweren oder gar dem Feind als Versteck dienen durften. Das Leichenhaus mußte Zimmermeister Jakob Walder aus Holz errichten, für die Zerstörung der Grabmäler im Belagerungsfall hatten die trauernden Hinterbliebenen bereits im voraus die Kosten, „Demolitionsgebühr" genannt, zu bezahlen.

Aus grauer Städte Mauern, das dämmerte den Neu-Ulmern schon während der vierjährigen Grundstücksverhandlungen für den Friedhof, war nicht so leicht in Wald und Feld zu ziehen. Die Festung erwies sich als ein Gürtel, der sich nicht problemlos weiter schnallen ließ. Wer draußen bauen wollte, mußte dem backsteinernen Ungetüm 800 Meter vom Leib rücken.

Im Süden der Umwallung ließ sich 1862 als erster Christian Fink nieder: „Schnapphausen", so genannnt, weil sich die Bauern die Grundstücke vor der Nase wegschnappten, entstand. 1865 wurde die Siedlung, um den seelenvollen, jedoch tief vereinsamten neuen bayerischen König Ludwig II. etwas aufzuheitern, Ludwigsfeld getauft. Etwas östlich davon wurden, offenbar im Zug des Illertalbahnbaus 1862/63, einige „Riedhöfe" erbaut. In den 70er Jahren nahm dort in einem Hinterhof sogar eine „Margarinefabrik" ihre Produktion auf. 1894 wurde aus der Häusergruppe der Ortsteil „Schwaighofen", heute Standort einiger Industriebetriebe. Industrie gab es dort schon vor 150 Jahren. Mit Erlaubnis des Polizeikommissariats, jedoch ohne Wissen der Kreisregierung, hatte dort der Chemiker Rößling, der sich mit der Herstellung von Salmiak und Ammonium befaßte, eine Knochenbrennerei errichtet, ein Vorgang, der den seiner holprigen Verse wegen etwas belächelten Ludwig I. zu einem seiner berühmten Signate anstachelte: „Dem gedachte Widerrechtlichkeit gestattet habenden vormaligen Polizeikommissär ist ein derber Verweis zu erteilen."

Was soll's: Sich regen, bringt Segen. Vor allem, wenn das erarbeitete Geld auch noch Zinsen trägt. Seltsamerweise versperrte sich die Gemeindeverwaltung Neu-Ulm lange Zeit letztgenannter Einsicht, obwohl die Regierung von Schwaben und Neuburg immer mal wieder die Werbetrommel für die Sparkasse rührte: „Die besitzlosen und unbemittelten Stände können sich durch allmähliche Admassierung eines Kapitals nach und nach auf jenen Standpunkt emporschwingen, auf welchem Interesse und Liebe für die Erhaltung der öffentlichen Ordnung und die Herrschaft des Gesetzes als die Gewährleisterin des Besitzstandes gewonnen wird." Am 28. Juni 1861 gelang es endlich, die Bastion zu stürmen. Noch im gleichen Jahr öffnete die Sparkasse des Distrikts Neu-Ulm ihren Tresor. Der Zinssatz für die Einlagen: 3⅓ Prozent. 1866 fand die Gründung eines Vorschußvereins statt, der Kapital für Investoren bereitstellte.

Mit der Unschuld vom Lande war es jetzt natürlich vorbei. Neu-Ulm wollte nicht länger als körndlgefütterte Landperle auftreten, sondern endlich auf seiner Kennkarte den Vermerk „Stadt" eingetragen haben.

Man kann sich vorstellen, wie sehr den 1976 Einwohnern (ohne Militär) anno 1867 der Kamm schwoll, als sie in der Augsburger Postzeitung vom 5. Juni zu lesen bekamen: „In wenigen Jahren wird Neu-Ulm mitten im Knotenpunkte von vier Bahnlinien, wovon zwei durch Bayern und zwei durch Württemberg laufen, eine der schönsten und belebtesten Städte Bayerns sein."

Natürlich hielt auch das ortsansässige Allerweltsblättchen nicht mit seinem Lob hinterm Berge zurück: „Promenirt man gegenwärtig innerhalb der Stadt", heißt es in der Ausgabe vom 2. Juni 1867, „so scheint es, als hätte sich ein dunkler Schleier mit einem Wetterstrahl von derselben gehoben, denn Straßen, welche bisher stiefmütterlich im Argen lagen, so daß man ihr Begehen scheute, stehen in vollem Glanze wie neugeboren auf. An die bereits schon längere Zeit vollständig hergestellte Kirchenstraße gegen den Bahnhof schließt nunmehr auch die verlängerte Schulstraße neuchaussiert an und mündet gegen die Hauptstraße aus. Wird die im Ausbau begriffene Hauptfrontstraße an der Kaserne

Allgemeines

Neu-Ulmer Anzeigeblatt.

Amtsblatt der K. Bezirksämter Neu-Ulm, Illertissen & Zusmarshausen
und der
K. Landgerichte Neu-Ulm, Babenhausen, Illertissen, Weißenhorn & Zusmarshausen

Lokales von Neu-Ulm.

* Neu-Ulm, 18. Juli. Vom schönsten Wetter begünstigt hat die hiesige Bürgergesellschaft gestern Nachmittag eine Wasserfahrt in den Vergnügungsort Steinhäule gemacht, an welcher beinahe sämmtliche Mitglieder mit ihren Familien Theil nahmen. Bei ihrer Ankunft wurde die Gesellschaft durch Böllerschüsse empfangen und setzte sich dann an die für sie mit Fahnen bezeichneten Tische. Bei ausgezeichnetem Stoff, guter Küche, Musik und Gesang verstrich der Nachmittag nur zu schnell. Mit einbrechender Nacht wurde der Gesellschaft noch ein größeres Vergnügen zu Theil, indem die HH. K. und M. ein sehr gelungenes Feuerwerk abbrannten, das allgemeine Anerkennung erhielt; in Folge dessen die meisten Theilnehmer bis gegen 10 Uhr an dem Vergnügungsort verweilten und es wird dieser schöne Nachmittag den Anwesenden noch lange in angenehmer Erinnerung bleiben.

Wichtige Prophezeihung!

Deutschlands nächste Zukunft.

Wichtige Prophezeihungen
des frommen Abtes Fortunatus,
der bereits vor 300 Jahren gelebt und dessen Weissagungen bisher buchstäblich eingetroffen sind.

Preis nur 3 kr.

Vorräthig in der **J. W. Helb'schen** Buchhandlung in Neu-Ulm.

Neu-Ulm. (Eingesendet.) In der Hafengasse hier findet schon mehrere Nächte ein Hundeskandal statt. Dutzende von Hunde versammeln sich daselbst, wegen einer läufigen Hündin, in Folge dessen die Nachbarschaft ihres Schlafes beraubt wird. Wir haben doch eine k. Gendarmerie, einen Polizeidiener und einen Nachtwächter, hat denn keiner von diesen die Verpflichtung die Straßenpolizei zu handhaben? —

Neu-Ulm.

Senkel's Menagerie,

bestehend aus den merkwürdigsten Thieren der fünf Welttheile worunter sich besonders auszeichnen:

Non plus ultra!

Das englische Riesenschwein,

1040 Pfund schwer. 100 Thaler Belohnung Demjenigen, der so ein Exemplar aufweisen kann.

Vogel Strauß, der größte Vogel der Welt, **Puma** oder **Silberlöwe** aus Südamerika, **Jaguar** oder **Brasilianischer Tiger, Wölfe** aus Sibirien, **Antiloppen-Gazellen** aus Abyssinien in Oberegypten, **Angora-Ziegen** aus Asien, **Steinböcke** von den Pyrenäen, **Steinadler** aus den Schweizer-Alpen, **Bergsiebenschläfer** aus Europa, verschiedene Gattungen **Affen** &c.

Preise der Plätze: I. Platz 12 kr., II. Platz 6 kr., Kinder auf beiden Plätze die Hälfte.

Schauplatz in der neuerbauten Bude an der kleinen Donau in Neu-Ulm.

Zu zahlreichem Besuche ladet ergebenst ein hochachtungsvoll!

J. Senkel.

Neu-Ulm.

Für Auswanderer nach Amerika.

Schiffsverträge zur Reise nach allen Haupthäfen Nord-Amerika's mittelst

Segel- & Dampfschiffen erster Klasse

welche regelmäßig jede Woche, Segelschiffe alle 14 Tage von **Bremen** abfahren, werden stets zu den billigsten Preisen und bei bedeutend ermäßigten Eisenbahntaxen geschlossen und jede Auskunft hierüber unentgeldlich ertheilt von der Auswanderungs-Agentur

H. Rosenheim, Sohn.

Allgemeines

Neu=Ulmer Anzeigeblatt.

Amtsblatt der K. Bezirksämter Neu-Ulm, Illertissen & Zusmarshausen
und der
K. Landgerichte Neu-Ulm, Babenhausen, Illertissen, Weißenhorn & Zusmarshausen

Lokales von Neu-Ulm.

* Neu=Ulm, 18. Juli. Vom schönsten Wetter begünstigt hat die hiesige Bürgergesellschaft gestern Nachmittag eine Wasserfahrt in den Vergnügungsort Steinhäule gemacht, an welcher beinahe sämmtliche Mitglieder mit ihren Familien Theil nahmen. Bei ihrer Ankunft wurde die Gesellschaft durch Böllerschüsse empfangen und setzte sich dann an die für sie mit Fahnen bezeichneten Tische. Bei ausgezeichnetem Stoff, guter Küche, Musik und Gesang verstrich der Nachmittag nur zu schnell. Mit einbrechender Nacht wurde der Gesellschaft noch ein größeres Vergnügen zu Theil, indem die HH. K. und R. ein sehr gelungenes Feuerwerk abbrannten, das allgemeine Anerkennung erhielt; in Folge dessen die meisten Theilnehmer bis gegen 10 Uhr an dem Vergnügungsort verweilten und es wird dieser schöne Nachmittag den Anwesenden noch lange in angenehmer Erinnerung bleiben.

Neu=Ulm. (Eingesendet.) In der Hafengasse hier findet schon mehrere Nächte ein Hundescandal statt. Dutzende von Hunde versammeln sich daselbst, wegen einer läufigen Hündin, in Folge dessen die Nachbarschaft ihres Schlafes beraubt wird. Wir haben doch eine k. Gendarmerie, einen Polizeidiener und einen Nachtwächter, hat denn keiner von diesen die Verpflichtung die Straßenpolizei zu handhaben? —

Δ **Neu-Ulm,** 10. März. Wenn die Knaben auf den Trottoirs mit ihren „Merbeln“ spielen und dadurch die Passage hemmen, so halten wir es für vollständig in der Ordnung, daß die Polizei einschreitet und die Buben an einen passenderen Ort verweist, wir wünschen dies sogar sehr; wenn ferner ein Hausbesitzer dessen Gebäude durch das Anwerfen der „Merbel“ ruinirt wird, sich solches nicht gefallen lassen will oder eine zu ebener Erde wohnende Matrone sich über den Lärm der zügellosen Jugend beschwert, so wird Niemand darin eine Rücksichtslosigkeit gegen die Kinder erblicken. Wie aber eine Person, die im zweiten Stock oben wohnt, sich über die unten auf der Straße spielenden Knaben ärgern kann, wie dies der Wittwe B, Augsburgerstraße Nr. 10, 2 Treppen hoch hier passirte, ist uns unerfindlich. Jedoch den Aerger wollen wir ihr gern gestatten, daß sie aber sich nicht scheut, ein Wasch- oder gar Nachtgeschirr auf die ahnungslos unter ihrem Fenster Spielenden auszuschütten, daß die armen Kleinen naß und übelriechend mit verdorbenen Kleidern nach Hause kommen, das ist nicht nur mehr als gewöhnlich, sondern entschieden strafbar. Wir möchten hiedurch unsere löbliche Polizei auf diese sich fast täglich wiederholende Uebertretung aufmerksam machen, indem wir der Ansicht sind, daß hier der § 366, Ziff. 8 des Reichsstrafgesetzbuches jedenfalls in Anwendung gebracht werden kann.

Lokales von Neu-Ulm.

Neu-Ulm. In der Nacht vom Samstag auf den Sonntag soll dem Vernehmen nach in der kath. Kirche ein Einbruch versucht worden sein, was jedoch durch die Wachsamkeit der hiesigen Gensdarmerie vereitelt wurde, indem der Betreffende die Flucht ergriff.

A Neu=Ulm, 10. März. Wenn die Knaben auf den Trottoirs mit ihren „Werbeln" spielen und dadurch die Passage hemmen, so halten wir es für vollständig in der Ordnung, daß die Polizei einschreitet und die Buben an einen passenderen Ort verweist, wir wünschen dies sogar sehr; wenn ferner ein Hausbesitzer dessen Gebäude durch das Anwerfen der „Werbel" ruinirt wird, sich solches nicht gefallen lassen will oder eine zu ebener Erde wohnende Matrone sich über den Lärm der zügellosen Jugend beschwert, so wird Niemand darin eine Rücksichtslosigkeit gegen die Kinder erblicken. Wie aber eine Person, die im zweiten Stock oben wohnt, sich über die unten auf der Straße spielenden Knaben ärgern kann, wie dies der Wittwe B., Augsburgerstraße Nr. 10, 2 Treppen hoch hier passirte, ist uns unerfindlich. Jedoch den Aerger wollen wir ihr gern gestatten, daß sie aber sich nicht scheut, ein Wasch- oder gar Nachtgeschirr auf die ahnungslos unter ihrem Fenst r Spielenden auszuschütten, daß die armen Kleinen naß und übelriechend mit verdorbenen Kleidern nach Hause kommen, das ist nicht nur mehr als gewöhnlich, sondern entschieden strafbar. Wir möchten hiedurch unsere löbliche Polizei auf diese sich fast täglich wiederholende Uebertretung aufmerksam machen, indem wir der Ansicht sind, daß hier der § 366, Ziff. 8 des Reichsstrafgesetzbuches jedenfalls in Anwendung gebracht werden kann.

Eröffnung und Empfehlung

der Wirthschaft „zum Schießhaus" in Neu=Ulm.

Hiemit erlaube ich mir, die ergebenste Anzeige zu machen, daß mir von dem wohll. K. Bezirksamte Neu-Ulm die Concession zum Betriebe der Wirthschaft ertheilt wurde, und habe ich zur Eröffnung meiner

Wein-, Bier- und Speise-Wirthschaft

Montag den 13. ds. Mts.,

verbunden mit der vollständigen

Königl. bayer. 12. Infanterie-Regiments-Musik,

bestimmt; bei schlechter Witterung im Saale.

Ich lade hiezu die geehrten Einwohner Neu-Ulms, Ulms und Umgegend, Freunde und Bekannte, sowie Kgl. Militär freundlichst ein, durch reelle Weine, gutes Bier und gute Küche werde ich meine wohlwollenden Gäste zu erhalten suchen.

Einem gütigen Zuspruch entgegensehend, zeichne

hochachtungsvollst und ergebenst

Anton Schäfer zum Schießhaus.

Neu=Ulm im Mai 1867.

Patent-Bierhahnen,

sehr zweckmäßig, um dem Bier stets die Kohlensäure zu erhalten, empfiehlt den Herrn Bierwirthen angelegentlichst

Rud. Wolber, Eisenhändler.

Lokales von Neu-Ulm.

Neu=Ulm. In der Nacht vom Samstag auf den Sonntag soll dem Vernehmen nach in der kath. Kirche ein Einbruch versucht worden sein, was jedoch durch die Wachsamkeit der hiesigen Gensdarmerie vereitelt wurde, indem der Betreffende die Flucht ergriff.

Verlorener Hund!

Ein weißer **Bull=Terrier,** Rüde, mit rothen Ohren, hat sich verlaufen. Abzugeben gegen **sehr gute** Belohnung wo? sagt die Expedition d. Bl. [1]

Geschäfts=Eröffnung & Empfehlung.

Ich empfehle den geehrten Damen Neu=Ulm's und Ulm's mein neu errichtetes

Putz= & Blumen=Geschäft

unter Zusicherung aufmerksamer und billiger Bedienung bestens.

Anna Hieber, im Hause des Schuhmachermeisters Bauer, alte Augsburgerstraße.

Emser Pastillen.

Die unterzeichnete Stelle hat der **Apotheke** in **Neu=Ulm** das Depot ihrer Emser Pastillen für Ulm und Umgegend übertragen. Preis per Schachtel 36 kr.

Herzoglich Nassau'sche Brunnen-Verwaltung zu Bad Ems.

Mitte der 1860er Jahre: die Ludwigstraße entsteht

parallel mit der Kirchenstraße vollendet sein, dann haben wir den Genuß, in Neu-Ulm auch bei ungünstiger Witterung trockenen Fußes die Stadt in ihrer ganzen Ausdehnung zu begehen, und es dürfte keinem Zweifel unterliegen, daß die Baulust durch Mieths-Interessen belohnt wird, denn es ist immer ein angenehmer Wohnsitz dahier, wer gerne auf Land und Stadt zugleich wohnen will."

Man könnte fast glauben, die ersten Touristen hätten sich mit neugierigem Staunen eingefunden, wenn man im Juli 1867 liest: „Es ist nun bereits zum Bedürfniß geworden, daß die Namen der Straßen der Öffentlichkeit kund gegeben werden, denn nach Nummern die Gebäude aufzufinden, bei dem großen Umfang der Stadtanlage, ist immer eine schwierige und mühevolle Sache." Und als wäre jüngst ein Palast à la Pitti oder eine Walhalla à la Parthenon aufgeführt worden: „Wir können mit Recht sagen, daß durch den Neubau des Hr. Maurermeisters Reitzele die Straße gegen die Harmonie (gemeint ist die heutige Hermann-Köhl-Straße) als Front der protestantischen Stadtkirche vollendet erscheint, denn links und rechts bedecken nur stattliche Gebäude die protestantische Stadtkirche in ihrer Front, und in der That, Herr Reitzele verdient seines Unternehmens wegen öffentlich belobt zu werden."

Aber auch der König hatte in einem lichten Moment ein Auge auf Neu-Ulm geworfen. Über die bei dem Fest der Einweihung der evangelischen Kirche ihm dargebrachte Huldigung „geruhten Allerhöchstdieselben", so verkündete der Neu-Ulmer Anzeiger vom 5. September 1867, „sehr beifällig sich zu äußern und das Allerhöchste Wohlgefallen zu erkennen zu geben." Und mit Signat vom 11. Oktober des gleichen Jahres sprach er dem „landwirthschaftlichen Bezirks-Comité für dessen Leistungen im Gebiete der Landwirthschaft und Betheiligung an der internationalen Ausstellung zu Paris die Allerhöchste Anerkennung aus". Neu-Ulm scharrte vor Devotion mit den Füßen. Bevor ihr König in seiner Einsiedelei auf Schloß Berg wie ein flüchtiger Göttertraum entschwand, richteten die Oberen für ihre Gemeinde „die alleruntertthänigste Bitte" an ihn, „in die Reihe der Städte aufgenommen zu werden".

Am 29. September 1869 fand sich Seine Majestät „in landesväterlichem Wohlwollen mit Rücksicht auf das rasche Emporblühen und die Bedeutung des Ortes allergnädigst bewogen", den Wunsch der Neu-Ulmer zu erfüllen. Am 5. Oktober, die frischgebackenen Grenzstädter saßen gerade bei ihrem Malzkaffee, servierte der Neu-Ulmer Anzeiger die sensationelle Nachricht im Fettdruck. Es war, als ob ein Traum Wirklichkeit geworden wäre: Vorreiter in Stulpstiefeln und barocken Livreen, Heiducken mit Dreispitz und roten Fackeln jagen zu mitternächtlicher Stunde durch das Augsburger Tor in Richtung Stadtmitte, dann, von Schimmeln gezogen, die goldene Karosse, aus der Ludwig II. huldvoll winkt. War's auch nicht so, war's doch Grund genug, den ungewöhnlichen Triumph mit einem Frühschoppen zu feiern, der sich bis in die späten Nachtstunden hinzog. □

タイム・リミット

欧州中距離核

配備予定地ノイ・ウルム（西独）ルポ

●●●5

善意は抑止にならず
SS20にはパーシングIIで

戦争知るがゆえに

ノイ・ウルム滞在中、隣町ウルムに住む老婦人（六三）と知りあった。長らく勤めていた会社も定年退職、夫には先立たれたが、一人息子もとっくに成人、気楽な年金生活に入っている。

婦人は東ドイツのドレスデン出身。ドイツが東西に分裂したあとの一九四七年、西側に移った。兄二人はいまも東ドイツ側に住んでおり、婦人は時々お土産を手に訪問する。

前の大戦ではドレスデンは米英

婦人がパーシングII配備を主張するのは、地政学的な位置から幾度も戦火にもまれ、さらに大国ソ連（ロシア）との長い付き合いから得たドイツ人たちの〝経験的法則〟によるものである。強い相手

力による平和

自ら戦争で傷つきながらも、現実を見詰め、安易な平和論を排し、北大西洋条約機構（NATO）に加盟（五五年五月）、西ドイツ国防軍を発足させ（同年十一月）、兵役義務法を可決（五六年七月）

して国家防衛の基礎を固めていった。その上に立って五八年三月、連邦議会での「核武装決議」となる。

（五九年臨時党大会）、「NATO枠内での戦術核兵器による西ドイツ軍の核武装」を是認（六〇年党大会）するという転換を見

器がソ連軍の進撃を阻止するという戦術核兵器の機能にとどまっていたのが、第二段階では、射程距離が巡航ミサイルで三千キロ、パーシングIIで千八百キロとソ連の心臓部も攻撃できるという戦略核兵器の性格を帯びてきたことである。

さらに、国民の反応も変質している。五七年のアデナウアー首相の核武装発言で平和運動が燃え上がったが、当時の反対運動の中心は社会民主党（SPD）と労働組合だった。しかしその後、当の社民党は西ドイツの再軍備を認め

ない世代」に多いことは指摘したが、前述の老婦人とは違った、若者たちの抱く新たなソ連観は各種の調査からも裏付けられている。例えば、西ドイツ人の五〇・二％は戦争につながりかねないソ連の脅迫の可能性を予想しているが、戦後生まれの若者たちの中でこの可能性を認めるのは三九・六％にすぎないという。そして、これに「西ドイツはナショナル・インタレスト（国益）を追求すべきだ」という自己主張型での米国離れの傾向が加わる。

さらに、「核による防衛」の新たな段階を迎え、たとえ老婦人のように「力の均衡」を信じる者でも、素朴に不安を感じ始めていることは否定できない。

代」の新たな状況をどう切り抜けるか－戦後最も苦しい局面にぶつかっているといえるだろう。

西ドイツはいま「緑の党」の進出に象徴されるように、「コンセンサス（総意）なき社会」に入り

す、という夏祭りの行事の一つである。何百、いや何千という赤い光が川の流れに乗って暗いドナウを下るさまはまさに「光のセレナーデ」だった。しかし、それは私には、欧州の中部に位置するばか

Erinnerungen an Krieg und Frieden in der Garnisonsstadt Neu-Ulm sowie ein Eilmarsch durch fünfzig Jahre Ortsgeschichte

Von Fuaßern, Schwulle und (vor allem) Zwölfern

An seinem Schreibtisch in Tokio trieb ihn die Sorge um: Kunio Adachi, Autor einer fünfteiligen Serie über Neu-Ulm, die zwischen dem 2. und 6. August 1983 in „The Sankei Shimbun", Japans zweitgrößtem Wirtschaftsblatt mit einer Auflage von 2,2 Millionen, erschien.

Vier Tage lang war er an der Donau, um die Stimmung auszuloten, die in der Stadt wenige Wochen vor dem Aufmarsch der 120 000 gegen die Stationierung atomarer Mittelstreckenraketen herrschte. Sein Fazit: „In Neu-Ulm herrscht gespannte Ruhe vor dem Sturm."

Der Sturm war vom Aktionsbüro der Friedensbewegung für Samstag, den 22. Oktober geplant. Der klare Morgenhimmel versprach einen strahlend schönen Herbsttag. Aus ganz Süddeutschland und aus dem Nachbarland Österreich kamen sie denn auch mit mehr als 800 Bussen und Sonderzügen, um sich an der spektakulären Menschenkette zu beteiligen, die am Zaun der Wiley-Kaserne an der Memminger Straße ihren Anfang nehmen sollte. Um 12.30 Uhr stand sie: ein überdimensionaler Tausendfüßler, der sich über die Donau nach Ulm zog, durch Ortschaften wand, die Hügel der Alb überquerte, die Täler durchschritt und schließlich nach 108 Kilometern an der europäischen Kommandozentrale der amerikanischen Armee in Stuttgart endete. „In einer generalstabsmäßig geplanten Gemeinschaftsaktion finden sich Demonstranten zur längsten Menschenkette der Welt zusammen", berichtete am Montag darauf die Süddeutsche Zeitung in fetten Lettern.

Die Kette der 200 000 Menschen war indes nur der Auftakt zur größten Demonstration, die Neu-Ulm je gesehen hat. 120 000 Nachrüstungsgegner fluteten nachmittags in Richtung Volksfestplatz – für viele war kein Durchkommen –, auf dem acht Redner, unter ihnen der katholische Theologieprofessor Norbert Greinacher aus Tübingen und der Friedensforscher Alfred Mechtersheimer, ein rhetorisches Feuerwerk gegen den Rüstungswettlauf abbrannten. „Der heiße Herbst", fand die der Friedensbewegung nicht sonderlich freundlich gesonnene Frankfurter Allgemeine Zeitung, „endete mit einem großen, sonnenüberfluteten Friedensfestival, das die vorwiegend jugendlichen Teilnehmer erkennbar genossen haben."

Auf der Suche nach den Gründen, die der Stadt zu soviel Publizität verhalfen, wurde Kunio Adachi in der Geschichte fündig: „Seit seiner Entstehung vor 170 Jahren hat Neu-Ulm Soldaten in seinen Mauern." In der Tat ist das Militär aus der Biographie der Stadt nicht wegzudenken, und es gibt nicht wenige Bürger, deren Großväter als Chevauleger oder Zwölfer, mit Zwirbelbart geziert, tiefernst aus Fotoalben blicken. Neu-Ulms Lebenslauf wird nicht allein am Ratstisch zurechtgebogen, sondern auch in Befehlsständen und Kommandozentralen militärischer Stäbe. Und das seit über 100 Jahren.

In dem Geviert zwischen Maximilianstraße, Bahnhofstraße, Ludwigstraße und Kasernstraße entstand ab 1860 in sechsjähriger Bauzeit der riesige Komplex der Friedens- oder Zwölferkaserne: ein ungegliederter, trister Backsteinkoloß mit prunkvollem Tor. Wo einst die alte Kalenderregel „Kunigund macht warm von unt'" passionierte Spargel- und Gemüsefarmer zum Spaten greifen ließ, drehten, strengem Exerzierreglement folgend, die himmelblau berockten Soldaten des 12. Infanterieregiments, „Kilometerfresser" genannt, Trainingsrunden für allfällige Parademärsche oder klopften Griffe.

Für König und Vaterland
In Treue fest
Zur Erinnerung an meine Dienstzeit.
Verlag & Eigenthum von Aug. Wolf, Ulm a. D.
Gesetzlich geschützt
Lithografie & Druck von D. Walcher Ulm a. D
Georg Lanzenstiel
10 Comp. 12. Kgl. bayr. Infant.-Regt. „Prinz Arnulph“ Neu-Ulm 1894/96.

Die Zwölfer waren das Leibregiment des Prinzen Otto, der sich, gestützt auf Geld und Bajonette, rührend bemühte, den Griechen, deren König er war, bayerische Kultur aufzupfropfen und damit Bayern auf dem Umweg über Athen in den Kreis der europäischen Mächte einzuführen. Um in den verschmutzten Nestern des weißgebrannten Felsenlandes „Ordnung zu schaffen", wurde 1832 (bis März 1835) das 2. Bataillon der Zwölfer aus Würzburg herbeizitiert. Die Infanteristen schossen sich jeden Tag mit verlausten Palikaren herum und litten qualvollen Durst: In den verfallenen griechischen Forts fehlte es an Wasser.

Das Levante-Abenteuer ließ sich Vater Ludwig I., vom Philhellenismus durchdrungen, 1933 000 Gulden kosten; König Otto selber mußte 1862 der Volksempörung weichen. Als er am 26. Juli 1867 in Bamberg starb, schenkte Königin-Witwe Amalie den Zwölfern in Neu-Ulm Uniform mit Säbel und Helm, die der erlauchte Regimentsinhaber getragen hatte. „Das theure Andenken", so der Neu-Ulmer Anzeiger vom 15. Dezember 1867, „wurde schon aus dem Umstand doppelt freudig und gerührt begrüßt, als das Regiment ja auch die erste Uniform besitzt, welche der damals 8jährige Prinz Otto als Inhaber getragen." An die militärische Expedition nach Griechenland erinnerte in Neu-Ulm nur noch ein Wirtshausschild. 1938 hatte der ehemalige „griechische" Bataillonsquartiermeister und Ministerialsekretär Karl Sauer die Pfeiffersche Weinwirtschaft erworben, im neugriechischen Stil umgebaut und „Stadt Athen" getauft.

Wirtshäuser gehören zu einer Garnison wie der Henkel zum Maßkrug. Seit eh und je trägt die tägliche Marketender-Zuteilung an Alkohol zur Gelassenheit der Vaterlandsverteidiger bei: drei Maß, und man kann im Geist all jene gemächlich aufmarschieren lassen, die einen alle miteinander „kreuzweis können". Es waren nicht nur die Zwölfer, die den Trost im Bierkrug suchten. In die 1866/67 an der heutigen Silcherstraße erbaute Chevaulegers-Kaserne, Unterkunft für die Ausfallreiterei des Brückenkopfs, zog eine Eskadron des 4. Chevaulegers-Regiments ein: die grün uniformierten „Schwulle". Und um Farbe in den grauen Neu-Ulmer Werktag zu zwingen, schickte der König auch noch die dunkelblauen „Fuaßer" vom 1. Bataillon des erst 1873 errichteten 1. Bayerischen Fußartillerieregiments in den Grenzort. Sie bezogen Quartier im Kriegsspital an der Memminger Straße. Bis zur Auflösung der bayerischen Armee im Jahr 1919 lagen 2400 bis 2700 Soldaten in Neu-Ulm in Garnison.

Mit den Buntröcken rückten auch die Wirte in die Stadt ein. Bald gab es in Neu-Ulm Kneipen wie Kies in der Donau: Soldatentränken mit so beziehungsreichen Schildern wie „Kanone", „Siegesfahne", „Landwehrmann", „Letzter Heller", „Grüner Reiter", „König von Bayern" oder „Heimat".

Nicht immer ging es in den rauchgebeizten Kajüten nur darum, die Kehle anzufeuchten, wie folgendes aus dem Landesinneren importierte Soldatenlied zu berichten weiß:

„Am Sonntag gehen mir's spazieren
ins Tal hinab zum Sollerwirt;
da kann man sich's gut amüsieren,
es kann auch sein, daß grafft dort wird.
Na ziaghst halt oan a paar herab.
Woran ich's meine,
woran ich's meine,
woran ich's meine Freude hab."

Genie-Feldwebel (1845).
Der Genietruppe oblag der Festungsbau

Drehte zum Beispiel ein hiesiger Wirt an der Bierpreis-Schraube, war für das P.P. Publikum der casus belli gegeben. Der Herr über die dickleibigen Banzen konnte dann von Glück reden, wenn ihn ein bayerischer Buntrock nur ein Vaterunser lang am Krawattl packte. Meistens verging ihm Hören und Sehen, wovon der Chef der Löwenbrauerei ein garstig' Liedchen singen konnte:

Am Freitag, 11. Mai 1860, hatten einige Fußartilleristen und Geniesoldaten (wie man die Festungspioniere nannte) Stellung in seinem Wirtshaus bezogen. Als die Bedienung den – von der bayerischen Regierung genehmigten – Preis von sechseinhalb Kreuzern pro Maß abkassieren wollte, schlugen die Soldaten Biergläser, Fensterscheiben und verschiedenes Inventar in Trümmer. Bis die Militärpatrouille kam, waren sie längst über alle Berge. Schon am darauffolgenden Sonntag blies man in den Unterkünften aller in Neu-Ulm vertretenen Waffengattungen zum zweiten Sturm auf die Bierbastille. Im Steinhagel gingen die Fensterscheiben zu Bruch. Um Kopf und Kragen des Löwenwirts zu retten, besetzte ein Offizier mit einem Detachement Soldaten die Brauerei. Ergebnis der Schlacht: Fortan floß das bittere, braune Bier aus allen Neu-Ulmer Zapfhähnen wieder zum alten Preis von sechs Kreuzern pro Maß.

Zu den wackersten Streitern zählten die bayerischen Chevaulegers, denen kein Geringerer als Ludwig Thoma einst die Zeilen zugedacht hat:

Das wär traurig, gäb's keine Mädchen mehr
für dem König seinen Schwalanscher!

Die Tanzböden der beiden Donaustädte waren denn auch das von ihnen für Nahkämpfe besonders bevorzugte Manövergebiet. Damit bei den Raufereien um die schönste Partnerin für die Fußlappen-Polka nicht zuviel wertvolles Blut vergossen wird, hatte das Festungsgouvernement bereits im Jahr 1858 Vorsichtsmaßnahmen angeordnet: Je ein württembergischer, bayerischer und österreichischer Unteroffizier mußten bei Tanzunterhaltungen solange ausharren, bis der letzte Mann seines Kontingents den Heimweg angetreten hatte.

Besonders heftig schlugen die Kriegerherzen den reschen Schaumwalküren, den Kellnerinnen, zu. „Gestern Abend", berichtete die Ulmer Schnellpost am 15. August 1867, „ereignete sich hier im Gasthaus ‚Zur Stadt' der bedauerliche Fall, daß ein bayerischer Soldat dem dortigen Kellnermädchen eine erhebliche Verletzung am Kopfe mit seinem Säbel beibrachte. Die Motive, die den Soldaten zu diesem Schritte veranlaßt, sind nicht näher bekannt, doch vermutet man, daß Eifersucht im Spiele gewesen."

Gewisse physische Deformationen mußten die Biermöpserl unter den Soldatenbräuten allemal in Kauf nehmen, wuchsen doch ihre Hälse immer lang und länger.

Und das kam so: Nahte für den Buntrock der Zapfenstreich, zog er noch einmal heftig den Kopf seiner „Marie“ durch den Gassenschank, von sparsamen Schwaben auch Profitloch genannt, und drückte ihr einen Abschiedskuß ins Gesicht. Bei so einer Soldatenliebe gehen Glück und Gram geschwisterlich einher. Bald schon konnte es sein, daß der Sieger schwarzgerahmt an der Wand baumelte, der vor ein paar Tagen noch seiner Jungfer an der Hand hing.

Denn immer mal wieder mußten Fuaßer, Schwulle und Zwölfer in eisenhaltiger Luft erproben, was sie – einem Diktum des Romanciers Jean Paul zufolge – zu Hause gelernt hatten: Leichen machen. So zum Beispiel 1866. Am Vormittag des 4. Juni wurde das 1. Bataillon der Zwölfer auf dem Hof der Friedenskaserne durch die weihevollen Akkorde der Gebetshymne an den Ernst des Augenblicks gemahnt: Die Preußen wollten den deutschen Dualismus mit der Waffe ausfechten. „Was den Geist in der Armee anbelangt“, vermerkt die Regimentsgeschichte der Zwölfer nicht ohne Stolz, „so war er sicherlich des Erfolges wert. Es herrschte Soldatenstimmung, die sich bei der Infanterie da und dort bezeichnend in dem Wunsche kundgab, mit dem Gegner möglichst bald nicht bloß Kugeln, sondern auch die Bajonette kreuzen zu dürfen.“

Kein Wunder, hatte doch schon im Vorfeld des Waffengangs der eine oder andere in der Grenzstadt Neu-Ulm garnisonierte bayerische Kirchweihraufer die günstige Gelegenheit beim Schopfe gepackt, seine Kräfte mit einem Nicht-Bayern, häufig „Breissn“ genannt, zu messen. Mancher mag es sogar für seine patriotische Pflicht gehalten haben, sich daran erinnernd, daß er einst unter der Dorfeiche geschworen hatte:

„Wo ma findn so an Breissn,
tean man haun und aussischmeissn.
Kimmt uns oaner, der's probiert,
sakra, der werd massakriert,
ganz derwuzlt, ghaut und gfozt,
bis er bluat und speibt und rotzt.“

Artillerist (1860)

Doch bis die Bayern ihre treffsicheren Podewilgewehre luden, hatten die preußischen Zündnadelgewehre schon geschossen. Die süddeutschen Armeekorps machten dauernd falsche Bewegungen und trauten sich unter dem Eindruck der Niederlage von Königgrätz nichts mehr zu riskieren. Es blieb bei einer Reihe von Gefechten an der Fränkischen Saale, an Tauber und Main, die man mit Anstand verlor. Als die Zwölfer im September 1866 wieder Einzug in Neu-Ulm hielten, war die Kaserne mit Tannengrün und Fahnen geschmückt, in den Wirtshäusern floß Freibier, auf den Gipfeln der kostenlosen Fleischberge aus hiesigen Metzgereien waren bayerische Fähnchen aufgepflanzt.

Nicht ganz vier Jahre später registriert der schneidige Regimentshistoriker mit Entzücken: „Reges Leben, ameisenartige Geschäftigkeit herrscht nicht nur auf den Kasernenhöfen, in den Stuben und Gängen der Friedenskaserne, in den Kasematten der Vorwerke und Caponnieren, sondern auch in den wenigen Häuserzeilen des damals noch sehr bescheidenen Standorts Neu-Ulm.

Ergänzungsmannschaften wurden verteilt, ärztlich untersucht, bekleidet, ausgerüstet, belehrt und geübt. Zugpferde durch die Remontierungskommission des Regiments angekauft, die grauen Fahrzeuge aus den Remisen ans Tageslicht gebracht und beladen, die Bespannung eingefahren.“ Am Morgen des 16. Juli 1870 hatte Ludwig II. mit ruhiger Entschlossenheit seinen Namen

Chevauleger (1873 vor der Chevaulegers-Kaserne in der Nähe des Memminger Tores

Infanterist (1848). Im Hintergrund das Augsburger Tor und eine der Baracken, die anfangs als Unterkünfte dienten

unter den Mobilmachungsbefehl gesetzt. Am 30. Juli schlug für das Regiment die Stunde des Abmarsches gegen die Welschen. Aus Pfuhl, Burlafingen, Offenhausen marschierten die Bataillone um 6 Uhr abends zum Neu-Ulmer Bahnhof. Ausbrüche patriotischer Begeisterung, tränenerstickte Worte des Abschieds. Am 8. August kommen die ersten französischen Kriegsgefangenen nach Neu-Ulm; sie werden in einem Zeltlager vor der Poterne 8 zusammengepfercht. Die Festung Straßburg wird genommen. Doch in der Schlacht bei Sedan am 1. September 1870 gibt es große Verluste: 16 Offiziere und 333 Soldaten. Der Regimentsschreiber ist etwas kleinlaut geworden: „Wahrlich kein geringes Opfer zur Erlangung des Preises, der auf solchen Sieg gesetzt, des ersten Sieges, an dem das Regiment seit seinem Bestehen als bayerisches tatkräftigst mitgewirkt.“ Viktoriaschießen, Illuminationen, Glockengeläute, Dankgottesdienste in der Garnisonsstadt, die bald weitere 2000 Franzosen aufnehmen muß. Im Dezember dann bleibt der mündungsrunde Mund des Bataillonssprechers geschlossen. Zerlumpt, total erschöpft, die letzte Patrone verschossen, treten die Zwölfer den Rückzug an. Am 3. Mai 1871 kehrt das 2. Bataillon wieder in die Garnison zurück. Endlos war das Hochrufen der Neu-Ulmer, ein Regen von Kränzen und Sträußen fiel aus den festlich geschmückten Fenstern auf die Helden nieder. Als sie auf dem Kasernenhof in Reih und Glied angetreten waren, entdeckte Oberstleutnant von Hellingrath nur noch einen einzigen der im Juli ausmarschierten aktiven Offiziere wieder.

Unter Musikmeister von Nessen spielte die Regimentsmusik sogar den Abiturienten des Günzburger Gymnasiums auf. Der Weißenhorner Karl Gaiser, damals unter den Absolventen, setzte ihnen in schwäbischer Mundart ein literarisches Denkmal:

> ... Am nächsten Dag im Schießhaussaal
> A Tanzkränzle findt' statt,
> Wozua a feina Tänzere
> A jeder g'lada hat.
>
> Und d'Musek wed dau rieseg schöa,
> D'r Nessen sell ischt dau.
> Wia wed zu so ma Prachtkonzert
> Dös Danza herrlich gau.
>
> Pst! D'Musek fangt öatz wundernett
> An Walzer ds' spiela a;
> Dau mach' i schnell a Kompliment
> Zo meiner Schöana na.
>
> Nau nemm' se freindlich en da Arm,
> Walz lusteg mit er rum
> Und d' Musek spielt: Lirili, lirila,
> Lirili, lirila, lirilum!

Neu-Ulm in seinem Festtaumel kommt nicht aus dem Tritt. Als am 30. Juli 1873 das 1. und 3. Bataillon der Zwölfer einmarschierten, war am Augsburger Tor eine Triumphpforte errichtet, Ehrenjungfrauen in weißen wallenden Gewändern hefteten Lorbeerkränze an die Regimentsfahnen. Selbst Ulm zeigte freundnachbarliche Gesinnung – „Wir wollen sein ein einig Volk von Brüdern" – und ließ das Münster in rotem bengalischen Licht erstrahlen. Noch am gleichen Abend war im Café Fromm Ball der Offiziere, tags darauf ein Gartenfest im Café National.

Für Mannschaften und Unteroffiziere richtete die Stadt am 2. August in der „Harmonie" ein Fest aus. Bei der Schlacht an den Büfetts fehlten über 900 Mann: sie waren bei der Schlacht gegen den „Erbfeind" draußen im Feld geblieben. Deswegen Trauer tragen? An solchen Tagen mußte die Public-Relations-Abteilung der Zwölfer zu vielen ambulanten Einsätzen unters Volk: die Regimentsmusik. Wo immer sich Gelegenheit bot, schmetterte sie aus hölzernen und blechernen Trübsal-Abwehrkanonen ganze Breitseiten hinauf in den Himmel. Sie spielte nicht nur allsonntäglich (bis 1914) zwischen 11.30 Uhr und 12.00 Uhr mal auf dem katholischen, mal auf dem evangelischen Kirchenplatz, sie „exekutierte" auch Choräle und Hymnen in den Gotteshäusern und trommelte Geld zusammen für die Glocken der Petruskirche.

Die Regimentsmusiker waren Neu-Ulms „Vielharmoniker": vielumworben, vielumjubelt. Wo ihre Klangwogen anbrandeten, klimperte das Geld in der Kasse. „... und habe ich", annoncierte im Mai 1867 Schießhauswirt Anton Schäfer, „zur Eröffnung meiner Wein-, Bier- und Speisewirtschaft Montag den 13. ds. Mts., verbunden mit der vollständigen Königl. bayer. 12. Infanterie-Regiments-Musik, bestimmt... Einem gütigen Zuspruch entgegensehend, zeichnet hochachtungsvollst und ergebenst Anton Schäfer, Wirt zum Schießhaus".

Am Himmelfahrtstag des gleichen Jahres war – so schrieb, mit der linken Hand einen flotten Viervierteltakt auf das Pult trommelnd, der Schriftleiter des Neu-Ulmer Anzeigers – „das von der Natur so romantisch geschaffene Steinhäule von Besuchern überfüllt, um die angenehmen Töne der hies. Regimentsmusik unter ihrem talentvollen Musikmeister zu genießen".

Am 1. September trommelte die linke Hand eine Marcia funebre, kletterten doch 1200 Zwölfer zusammen mit ihrer Big Band in einen Extra-Zug, um ins Manöver abzudampfen: „Es kann nicht ausbleiben, daß dieser temporaire Ausflug in hiesiger Stadt sich fühlbar machen wird, wenn wir nur der Entbehrung der beliebten Regimentsmusik gedenken."

Dem Neu-Ulmer war offenbar die Parademusik der Zwölfer als „Sicherheitsgurt", der das Leben in der Balance hielt und schützte, so wichtig wie das Zwölfuhrläuten von den Kirchtürmen. Die Regimentsmusik stiftete so etwas wie ein Wir-Gefühl und befriedigte jedes Bedürfnis nach Geselligkeit und Gesellschaftlichkeit (siehe Bild links).

Wie man in den Wald hineinbläst, so hallt es wider. Als Musikmeister Prem am 1. Juli 1880 mit seiner Kapelle im Garten des Café Krämer moderne Piecen des in Leipzig geborenen Polizeiaktuarsohnes Richard Wagner zu Gehör brachte – das Blech durfte sich massig entfalten –, etwa den Mannen-Chor aus der „Götterdämmerung" oder „Walthers Preislied", „beckmesserte" der Neu-Ulmer Anzeiger: „Wir hätten lieber eine heitere, frische Musik gehört und warten mit der klassischen gern bis zum Winter." Indes spätestens beim Sonntagskonzert glättete sich die plissierte Kritikerstirn wider. Das war Musik zum Mitgehen!

Doch lassen wir mal eine Generation Neu-Ulmer mit ihren Stiefeletten im Takt forscher Regimentsmärsche stampfen, und schauen uns im Eilschritt im Städtchen etwas um! Seit sich nämlich im Januar 1871 das Gemeindekollegium im Sitzungssaal des neuen Rathauses auf der Herbelwiese eingefunden hatte, um aufs neue zu geloben, daß man „mit regem Eifer das gemeindliche Wohl auf uneigennützigste Weise befördern und zum Schutze und zur ferneren Entwicklung unseres gemeindlichen Lebens treu zusammenhalten wolle", tat sich allerhand.

* Direkt daneben entstanden waren zur gleichen Zeit zwei Schulgebäude.
* Am 20. Februar 1871, 6 Uhr früh, eilte mit Spritze und pferdebespannter

1892 wurde über die Kleine Donau eine Rundbogenbrücke gespannt

Saug- und Druckpumpe Neu-Ulms freiwillige Feuerwehr nach Schwaighofen, das Oekonomieanwesen des Johann Ihle stand in Flammen. Bereits 1868 hatte der Apotheker und damalige Bürgermeister Dr. Wilhelm Sick die Wehr gegründet, und kein Geringerer als der Ulmer Fabrikant Konrad Dietrich Magirus hatte sie angelernt.

* Am 22. August 1872 nahm Seine Kaiserliche Hoheit Kronprinz Friedrich Wilhelm von Preußen in der vor dem Memminger Tor gelegenen königlich bayerischen Militärschwimmschule ein erfrischendes Bad. Beim Plätschern in den Donauwellen durften nur der persönliche Adjutant und der diensthabende Unteroffizier zuschauen, sahen doch die Badekostüme damals aus, als würden sie in der „Säcklerei" einer Dampfmühle geschneidert.

* Ebenfalls 1872 wurde die Gasbeleuchtung im Städtchen eingeführt.

* Im Juni 1873 gründete eine Bürgerinitiative eine Fröbelsche Kleinkinderschule, die zwanzig Jahre später von der Stadt übernommen wird. „Ein Kindergarten", so legte der in Pädagogik dilettierende Bürgermeister Ploner den zur Christbaumfeier 1880 versammelten Eltern ans Herz, „ist in jeder Hinsicht von großem Nutzen. Für die armen Leute insofern, als ihnen Gelegenheit geboten wird, ihre Kinder einen guten Theil des Tages gut aufgehoben zu wissen... für die gutsituirten insofern, als dort einer Verziehung, wie dieselbe ja doch leider so leicht den Kindern der gut situirten Klassen angedeiht, vorgebeugt wird."

* 1875 wurde ein neuer Bahnhof mit Güterhalle und Lokomotivenremise gebaut. Es war allerhöchste Eisenbahn, hatte doch schon 1867 ein Augsburger Redakteur seine Feder gegen die alten Zustände in Marsch gesetzt: „Welch ein Durcheinander in diesem Lokal täglich zusammenkommt, das wird denjenigen Reisenden erinnerlich bleiben, welche je in Neu-Ulm auf einen Zug zu warten das Unglück hatten."

* 1876 legte der Stadtkämmerer und Leihhausverwalter Andreas Brucklachner sein Amt nieder. Der Posten schien ganz attraktiv zu sein, denn unter den vielen Bewerbern tauchte auch ein 26jähriger königlich-bayerischer Leutnant und päpstlicher Gardist aus kleinadeliger Münchner Beamten- und Offiziersfamilie auf: Georg von Vollmar, seit einem Jahr Mitglied der Sozialdemokratischen Arbeiterpartei. Seine Bewerbung blieb erfolglos. Drei Jahre später saß er, als Sozialist verfolgt, für elf Monate im Gefängnis; fünf Jahre später im Reichstag, dem er fast 35 Jahre angehörte; von 1893 bis 1918 war er Mitglied des Bayerischen Landtags. Im gleichen Zeitraum war er, zum reformpolitischen Flügel der weiß-blauen Sozialdemokraten zählend, deren bayerischer Landesvorsitzender.

* 1877 zieht der pensionierte Professor und Ephorus Dr. Eduard Eyth mit seiner Frau Julie in die Hermann-Köhl-Straße, um den Ruhestand mit vollen Zügen zu genießen. Ihr Erstgeborener, der Dichter-Ingenieur und Geheime Hofrat Max von Eyth, war öfters bei ihnen zu Gast; nach dem Tod des Vaters im Jahr 1896 zog er zur Mutter und lebte bei ihr bis zu ihrem Tod am 13. April 1904.

* 1880 geht endlich auch in Neu-Ulm der von Turnvater Friedrich Ludwig Jahn in preußischen Sand gesetzte Samen auf: ein Turnverein wird gegründet. Unter der Anleitung gestrenger Ertüchtigungs- und Abmagerungswarte konnte, wer wollte, seinen widerspenstigen Rumpf beugen.

* Seit 19. Oktober 1880 konnte man auch in der bayerischen Grenz- und Frontstadt nach höheren Bildungsgütern streben: die ersten 50 Realschüler zogen in neue Schulsäle ein. Der Märchenkönig Ludwig II. hatte zehn Monate in Schloß Berg am Starnberger See darüber nachgegrübelt, ob er der Stadtgemeinde Neu-Ulm die Errichtung einer vierklassigen Realschule allerhöchst gestatten sollte. 1897 kamen zu den vier Jahrgangsstufen noch zwei weitere dazu. Wer die höheren Weihen des Realschulabschlusses haben wollte, mußte jetzt sechs Jahre büffeln. Fußartilleristen, Zwölfer und Reiter hatten an den Studentlein ihre helle Freude. Wo immer sie Gelegenheiten fanden, füllten sie die Pennäler mit Bier ab. Damit sie nicht für die Schule verloren waren, machte sich einer der ersten Realschuldirektoren, Dr. Georg Hermann Möller, abends auf den Kontrollgang durch die Kneipen. Alten Akten zufolge konnte er schöne Erfolge verbuchen.

* 1882 erblickte in der Zwölferkaserne Prof. Dr. Dr. h.c. Ludwig Weickmann das Licht der Welt. Er brachte es bis zum Präsidenten des Deutschen Wetterdienstes. Er starb 1961 in Bad Kissingen.

* 1883 wurde in der Dienstwohnung seines Vaters, des Hauptlehrers Ludwig Renner, in der Ludwigstraße 4 der Genetiker und Pflanzenphysiologe Dr. Dr. h.c. Otto Renner geboren. Der akademische Doppeldecker wurde Direktor des Botanischen Gartens in München. Acht Jahre vor seinem Tod wurde Direktor Renner 1952 in die Friedensklasse des „Pour le mérite" gewählt.

* 1885 trat der Jurist Josef Kollmann das Amt des ersten Bürgermeisters von Neu-Ulm an, in dem er es fast 35 Jahre aushielt. Kollmann brachte die Stadt auf Trab. Am Ende seiner Karriere war er Königlicher Hofrat und Ehrenbürger Neu-Ulms. Er starb 1932.

* Am 28. Mai 1886 kam in der Augsburger Straße 10 Carl Alois Schenzinger auf die Welt: Facharzt für Nerven- und Geisteskrankheiten (seine Dissertation „Chemie des Gedankens", in der er den Zusammenhang der Gehirnvorgänge mit der Reaktion der Hormone untereinander behauptete, wirkte geradezu revolutionär), erfolgreicher Schreiber zweier surrealistischer Dramen, Weltreisender, Autor der Bestseller „Anilin", „Metall", „Atom", „Schnelldampfer" und – des „Hitlerjungen Quex". Ein Meister farbig-fesselnd erzählter Wissenschaftsgeschichte, erreichte der Schnellschreiber mit seinen Büchern astronomische Auflagenziffern. Mit dem „Quex" handelte er sich den Verdacht ein, ein Nazi-Mitläufer zu sein, und eine Geldstrafe in Höhe von 130 Mark. Der „Schenz" starb am 4. Juli 1962 in Prien am Chiemsee.

* Am 21. März 1887 wurde Stadtsekretär Scharff Vater eines Knäbleins. Sohn Edwin wurde Künstler und so berühmt, daß ihm in diesem Buch ein ganzes Kapitel gewidmet ist.

* 1887 setzte Dickbrettbohrer Kollmann ein erstes sichtbares Zeichen: Neu-Ulm erhielt ein neues Krankenhaus. In dem alten Spital, einem kleinen zweistöckigen Wohnhaus in der Hermann-Köhl-Straße, war gerade Platz genug für den Nachfolger: eine Blumenbinderei.

* 1889, es ging dem Osterfest zu, zogen, als wär's ein Almauftrieb, prächtig bekränzte Rindviecher in Richtung Augsburger Tor, wo gerade das neue Schlachthaus seine Pforten öffnete. Beim Tag der offenen Tür, zu dem die Metzgerinnung einlud, konnten sich Neu-Ulmer Feinschmecker ihren saftigen Ochsenbraten als Ausstellungsstück besichtigen. Die etwas vorgezogenen Pfingstochsen-Auftriebe waren Brauch bis 1905.

* 1890 grunzte und quiekte es an der „Stadt Lindau" allwöchentlich wie in einem Saustall: In dem Wirtshaus war Schweinebörse (Zutrieb bis zu 1200 Stück), zu der die Händler bis aus Nürnberg und München angereist kamen.

* Am 1. März 1891, früh um 6 Uhr, läuteten die Glocken von allen Kirchtürmen Sturm; eine halbe Stunde später blies die Regimentsmusik der Zwölfer in kompletter Besetzung zum Wecken: Prinzregent Luitpold hatte sich allergnädigst bewogen gefunden, Neu-Ulm zu einer Stadt erster Klasse zu erheben. Kollmann hatte die Kreisfreiheit „erwedelt".

* 1893 wurde mit wuchtigen Torbögen in der Hermann-Köhl-Straße 29 ein neues Feuerwehrrequisitenhaus errichtet: die messingbehelmten Steiger und Spritzenleute feierten gerade ihr 25jähriges Jubiläum.

* Das Turnen auf Baugerüsten wurde in den 90er Jahren nach zehnjähriger Flaute wieder zum Nationalsport der Neu-Ulmer. Vor allem die bisher wenig bebaute Westhälfte der Stadt füllte sich mit drei- oder viergeschossigen Zeilenhäusern, deren Erker, Türmchen, Ziergiebel und Überdachungsgesimse von der Vorliebe ihrer Erbauer für Barockes und Altdeutsches künden.

* Am 1. März 1894 „lächelte" ganz Ludwigsfeld für den Fotografen: Die bäuerliche Filialgemeinde hat ihr eigenes Schulhaus erhalten (siehe Bild).

* 1897 rumpelte durch die Ludwigstraße die erste Straßenbahn. Sie fuhr vom Bahnhof Neu-Ulm zum Bahnhof Ulm. Nicht selten kündigte sich in der Folgezeit die Ankunft des Massenverkehrsmittels mit maschinengewehrähnlichem Geknatter an: Neu-Ulmer Lausbuben legten Schießplättchen, auf gut schwäbisch: Käpsala, auf die Schienen.

* 1898 wächst in der Schützenstraße in neubarocker Manier das Amtsgerichtsgebäude in die Höhe.

Photographie v. A. Eberwein Neu-Ulm.

Zur Erinnerung an die Einweihung des Schulhauses in Ludwigsfeld 1. Mai 1894.

* Am 26. März 1899 trafen sich die Bürgermeister der beiden Donaustädte, Heinrich Wagner und Josef Kollmann, in der Kanzlei eines Notars, um unter ein umfassendes interkommunales Vertragswerk ihre Unterschriften zu setzen: Die Eifersüchteleien haben (vorläufig) ein Ende. Kollmann gab seinen Segen zum Bau des Illerkanals und einer zweiten Straßenbrücke über die Donau beim Augsburger Tor, wollte aber dafür auf Neu-Ulmer Boden gelegenen Ulmer Grundbesitz käuflich erwerben; außerdem trat Ulm Wiesen und Gärten außerhalb des Festungsrings ab und verzichtete auf den Schulgeldzuschlag für die bayerischen Gastschüler.

* Am 26. Mai 1899 bricht Prinz Ludwig von Bayern (wie immer in langen Ziehharmonikahosen, daher „Ludwig der Vielfältige" genannt) beim festlichen Diner im Café Fromm in ein Hoch auf die Stadt Neu-Ulm aus. Er war zur IX. Hauptversammlung des Bayerischen Kanalvereins gekommen, über den er jahrelang das hohe Protektorat geführt hatte. Als er 1913 zum König ausgerufen wurde, hatte er, schon etwas schwerfällig geworden, vergessen, was er den Grenzstädtern versprochen hatte: „Und wenn die Städte und Dörfer treu anhangen zum Königshaus, so dürfen sie überzeugt sein, daß für alle, seien es große oder kleine, reiche oder arme, von seiten des Königshauses mit selber Liebe und selber Pflicht gesorgt werden wird." Franz Nuißl, Oberbürgermeister der Stadt von 1919 bis 1945, hat davon nichts gemerkt: „Von einer besonderen Förderung Neu-Ulms von oben hat, glaube ich, weder mein Amtsvorgänger Kollmann während seiner 34jährigen Amtszeit viel gespürt, noch vermag ich aus meiner 26jährigen Amtszeit diesbezüglich Hervorhebenswertes zu vermelden."

* Seit 1. Januar 1900 leuchten 15 Bogenlampen und 71 Glühlichter dem stillen Zecher heim: der elektrische Strom macht die Gaslaternen zur Antiquität.

* Seit 24. Oktober 1900 kommt fließend kaltes Wasser in jedes Haus: die Pumpbrunnen haben ausgedient. Bereits 1898 war auf dem Kriegspulvermagazin der Wasserturm errichtet worden. Mit seiner wilhelminischen Pickelhaube ist er zum Wahrzeichen der Stadt geworden.

* 1902 entsteht in der Hermann-Köhl-Straße 12 das Finanzamt, in der Eckstraße 25 wird eine Turnhalle gebaut.

* Vom 12. bis 14. August desselben Jahres findet vor dem Augsburger Tor das erste Volksfest statt: Einige Gaudiburschen haben es ins Leben gerufen.

* 36 Jahre nach der Stadterhebung ist die Bevölkerung in Neu-Ulm auf das Doppelte angewachsen. Ergebnis der Volkszählung im Jahr 1905: 10 763 Bürger (mit Offenhausen: 11 116).

* 1906 wird der Illerkanal fertig mit seinen zwei kleinen „Kraftwerken" für die Stromversorgung hüben und drüben der Donau.

* Am 31. August 1906 konnte sich Neu-Ulm seiner Zwangsjacke, der Festung, entledigen: Nach zähen Verhandlungen mit dem preußischen Kriegsministerium und der Staatsregierung in München hielt Josef Kollmann den Kaufvertrag in der Hand. Für 72,817 Hektar Festungsgelände mußte Neu-Ulm 860 000 Mark berappen. Bereits im Dezember ging man daran, den Wall in der Verlängerung der Bahnhofstraße abzutragen; 1909 und 1910 wurden die Anlagen bis zum Augsburger Tor geschleift (die Toranlage fiel erst 1960 der Spitzhacke zum Opfer) und ein Durchbruch für die Memminger Straße geschaffen; 1912 erfolgte bei der Caponniere 8 der Durchbruch für die Schützenstraße.

* 1907 wird das Gebiet im Südosten der Stadt mit einer Industriegleisanlage erschlossen: der erste Schritt zur Entwicklung eines großen, geschlossenen Industriegeländes.

* Am 1. Januar 1908 wurde nach 75jähriger Trennung Offenhausen wieder in die Stadt eingemeindet. Hofrat Kollmann bei der Eingemeindungsfeier: „Der im Jahr 1832 aufgelöste Ehebund ist im Jahr 1907 als Vernunftsehe wiederhergestellt worden." Wie sich die Verhältnisse in einem Menschenalter geändert

Bild links:
Der Wasserturm nach einer Zeichnung vom „Techn. Bureau für Wasserversorgung im K. B. Staatsministerium d. Innern"

Blick aus der Bahnhofsvorhalle
auf das noble Bahnhofshotel (links) und den gigantischen
Backsteinkoloß der Zwölferkaserne

1897 fuhr die erste Straßenbahn
vom Bahnhof Ulm zum Bahnhof Neu-Ulm

Maximilianstraße
Auf dem freien Platz im Vordergrund trat vor dem
1. Weltkrieg alljährlich die Seiltänzergruppe „Knie" auf

Aus Fotoalben um die Jahrhundertwende: postkartenbuntes Neu-Ulm

Seit 1892 führt eine eiserne
Bogenbrücke über die kleine Donau

Vor dem 1898 erbauten Amtsgerichtsgebäude
herrscht reger Droschken-Verkehr

1902 erbaut:
Neu-Ulms erste Turnhalle

CAFE LUDWIG
CAFE LUDWIG

haben: 1832 betrug die Steuerquote von Neu-Ulm 280 Gulden, von Offenhausen 286 Gulden; 1907 kam Neu-Ulm auf eine Steuerquote von 66 000 Mark, Offenhausen auf 1000 Mark. Das Dorf wurde umgekrempelt. (Die Erinnerungen, die es noch gibt, wurden zu einem eigenen Kapitel zusammengefaßt.)

* Ab 1909 entsteht in der Oststadt die sogenannte Zentralschule: die Zahl der Schulpflichtigen wächst und wächst. Die Werksteine für den Sockel holten sich die Bauhandwerker gleich nebenan von der Festung.

* Am 5. August 1910 zwingen Lausbuben aus der Wallstraße die hohe Militärverwaltung zur Kapitulation. Sie hatte sich bisher immer forsch dagegen gewehrt, das 1860 an der Donau erbaute Heumagazin abzureißen, dessen Areal für die Auffahrtsrampe der geplanten zweiten Brücke benötigt wurde. Das Magazin wurde ein Raub der Flammen, die kleine Wallsträßler, um ihre „Stadtranderholung" etwas erlebnisreicher zu gestalten, entfacht haben. Dem Brückenbau stand jetzt nichts mehr im Weg. Mitte September wurde mit dem Bau begonnen. Er „verschlang" 8000 Kubikmeter Beton, 31600 Zentner Zement, 230 Kubikmeter Granitquader (für die Pfeilersockel) und 653 Kubikmeter Muschelkalk für die Verkleidung. Gesamtkosten: 780 000 Mark.

* Am 1. Juli 1912, früh um 7 Uhr, läutet die Ulmer Schwörglocke einen Festtag ein: die neue Donaubrücke wird eingeweiht. „Möge sie dem Handel und Verkehr zwischen den Schwaben links und rechts der Donau neues Leben einhauchen, möge sie die Bahn für die Pflege und Förderung nicht bloß der wirtschaftlichen, sondern auch der idealen, sittlichen und ästhetischen Neigungen allzeit freihalten", wünschte sich Ulms Oberbürgermeister Wagner.

* Im gleichen Jahr gründete der Geiger Matthias Steindl in Neu-Ulm das „Süddeutsche Schrammelquartett". Das Ensemble bestand aber aus fünf Leuten. Die berauschende Dreiheit der Genüsse Wein, Weib und Gesang hat den Musikus wohl fünf gerade sein lassen.

Marienstraße 1905. Die Straße über die Insel wurde nach 1945 begradigt.

Prinzregentenparade in der Augsburger Straße kurz vor der Jahrhundertwende

Am 28. Juni 1914 hatte die ganze Stadt ein festliches Gewand angelegt: die Zwölfer feierten ihr 100jähriges Bestehen. Viele Tausende Veteranen waren in ihre alte Garnisonsstadt geeilt, „in Treue fest" zu ihrem Regiment haltend, den Siegern von Sedan, Orléans und Loigny-Poupry. Mittenhinein in das Jubelfest fielen die Schüsse von Sarajewo. Sporenklirrend und forsch wie immer hatte Kaiser Wilhelm II. an den Rand des Berichts seines Wiener Botschafters gekritzelt: „Mit Serbien muß aufgeräumt werden, und zwar bald." Am Samstag, den 1. August, morgens 8 Uhr zog Polizeioberwachtmeister Johann Taufer, begleitet von drei Tambouren des 12. Infanterieregiments durch die Straßen Neu-Ulms und rief nach dreimaligem Wirbelschlag: „Über das Königreich ist der Kriegszustand verhängt worden!"

Und noch am Abend traf in der Grenzstadt das Telegramm ein: „Mobilmachung befohlen!" In den Wirtshäusern und auf den Straßen brach ein unbeschreiblicher Jubel aus. Gleich am Montagmorgen machte sich Bürgermeister Hofrat Kollmann, assistiert vom königlichen Bezirks-Tierarzt Miller, Rittmeister von Stransky und Oberleutnant Rist, auf dem Platz vor der protestantischen Kirche daran, die Pferde für die große Schlacht auszuheben: Mit acht Rossen waren die Pferdehändler Bauland am meisten betroffen, der Spediteur Heinrich Honold mußte drei Gäule beisteuern, Karl Mayer, Sägewerksbesitzer und Holzhändler, zwei, einige Landwirte ihre Zugtiere, Jehle Max vom Maxlbräu seinen Bräugaul und Witwe Kölle von der Illerbrücke ihren Rotschimmel. Am Ende zählte die „Aushebungskommission" 28 PS. Unterdessen hatte das Festungsgouvernement auch schon die Lastwagen vom Fuhrpark der Löwenbrauerei dienstverpflichtet.

Die Standorttruppen, Zwölfer und Fußartilleristen, wurden am 7. August ins Feld verladen. Ab 15. August zog die bayerische Kriegsbesatzung in die Festung sowie, zur Speisung der durch den Neu-Ulmer Bahnhof fahrenden Truppentransporte, Köche der Kriegsverpflegungsanstalt. Es wimmelte nur so von Soldaten. Anfang Oktober zählte die Garnison 13 000 Mann.

Bevor die „Deutsch-österreichische Schnellversohlanstalt" – so der Text einer in Neu-Ulm kursierenden Postkarte – in frischem Anlauf ins feindliche Feuer lief, hatte sie erst einmal die ganze Stadt auf den Kopf gestellt. Nichts blieb mehr am alten Platz. Vor den Goldleistenfabriken Geiß und Aicham dampften die Feldküchen. Die Hallen dienten als Truppenunterkunft. Die dort einst Beschäftigten durften jetzt die Festung armieren oder von Wiblingen bis ins Steinhäule Schützengräben schaufeln. Auch in den Lagerhäusern der Firmen Oechsle, Freyberger, Scheerer, Daiber und Köpfer lagerten in den ersten Kriegsmonaten nur Strohsäcke für Soldaten.

In den Schulen sah es nicht anders aus: Die Schulstuben waren Schlafstätten, in den Lehrerzimmern übernahmen Wachen das Kommando, auf den Höfen bekamen die Helden ihren letzten Schliff. Stammtischbrüder, die in vaterländisch hochgestimmter Bierrunde den Krieg gewinnen wollten, fanden vor 10 Uhr abends keinen Platz: In sämtlichen Wirtshäusern waren Militärs einquartiert, die ihre Stellungen auf den Holzbänken erst räumten, wenn so gegen 11 Uhr die Feldgendarmen ihre Runde machten. Sogar der Eiskeller der Löwenbrauerei war mit 50 Mann belegt. Turnhalle und das ehemalige Leihhaus wurden noch im August 1914 als Hilfslazarett umgerüstet und blieben es bis 1919.

Handel und Wandel kamen aus dem Tritt. Immer wieder fuhren, von München kommend, unendlich scheinende Kolonnen ausgehobener Automobile, noch die Reklameschriftzüge ihrer Vorbesitzer tragend, in die Stadt zum Auftanken. Unter vielkehligem Hurragebrüll rollte in den Bahnhof ein Frontzug nach dem anderen, vollgestopft mit Feldgrauen, die ihre Brust mit schwarz-weiß-roten Kokarden geziert und Blumensträußchen an den Gewehrläufen stecken hatten. Ihnen folgten mit Gepolter Munitionszüge, Proviantzüge und Pferdetransporte, letztere vielfach von ungarischen Husaren begleitet.

Der größte und kleinste Soldat Neu-Ulms 1916

Niemand wollte sich von der allgemeinen Ergriffenheit ausschließen. In Neu-Ulm gärte es: Patriotisches Pathos konnte in Feind-hört-mit-Wahn umschlagen, wenn etwa das Gerücht herumschwirrte, ein Spion sei in der Stadt. Gleich in den ersten Augusttagen wurde auf der Ludwigstraße ein Mann vermöbelt und in Begleitung einer aufgebrachten Menge Volks auf die Polizeiwache geschleppt: der „Spion" war ein Landwehroffizier in Zivil, sogar Regimentsadjutant im 12. Landwehr-Infanterieregiment. Endlich: Am Freitag, dem 21. August 1914, abends 5 Uhr, läuteten die Kirchenglocken, an den Fahnenmasten gingen die Flaggen hoch. Die Schlacht bei Lothringen war siegreich geschlagen. Eine Siegmeldung jagte die andere. Der Krieg, der draußen tobte, war an der Donau verkleidet als diszipliniertes Klappen des lange Jahre Eingeübten. „Jeder Stoß ein Franzos, jeder Schuß ein Ruß, jeder Tritt ein Britt!" so war es ja auch – eine hirnwirblige Kriegspropaganda – auf die Waggons der durch den Neu-Ulmer Bahnhof donnernden Truppentransporte aufgepinselt.

Brimal.

Alle Rechte vorbehalten
1. Comp. K. B. 1. Fuss-Art.-Reg.
1901
Zur Erinnerung
an meine Dienstzeit.
1903
vac. Bot

Damit auch die Daheimgebliebenen eine Steigerung ihres Ichs erfahren, schickte Leutnant Schrönghamer-Heimdal, ein gelernter Schriftsteller, einen Heldengesang in die Heimat:

Wie die Zwölfer stürmten

»Zum Sturm Gewehr rechts!« heißt's wieder einmal,
Da stürmen die Zwölfer schon hin über's Tal.
Den Hang hinauf wie der Wirbelwind,
Wo Zwetschgenbäume in Menge sind.
Und Zwetschgen die Menge, schön blau und bereift,
Und so verlockend! Und jeder greift.
Und hascht, was er kann, bis die Taschen voll,
Und schüttelt zuletzt noch die Bäume wie toll.
Der Sturm steht jetzt einen Augenblick still,
Rings heulen und bersten Granaten schrill.
Die Zwölfer aber sind nicht faul,
Eine Handvoll Zwetschgen steckt jeder ins Maul.
Dann wirbelt weiter das rasende Korps —
Das Hurrah will freilich nicht recht mehr hervor.
Es zwängt sich zwischen den Zwetschgen heraus
Und büßt an Wirkung bei diesem Schmaus...
Jetzt aber, jetzt, jetzt sind sie am Feind,
Jetzt schmettern die Kolben, eh' der's vermeint.
Und wo Bajonett und Kolben bricht,
Da spuckt' man Zwetschgenkern ins Gesicht.
Und bückt sich nach einem anderen Trumm.
Der Franzmann aber kehrt schleunigst um
Und denkt: Von den Bayern ist jeder ein Saul.
Mon dieu! Die schießen sogar mit dem Maul...
Ich mein', wenn ein Korps im Hagel von Blei
Und Eisen beim Sturm über Höhen frei
Noch Zeit hat zum Schütteln von Zwetschgenbäumen,
Darf Frau Germania ruhig träumen.

F. Schrönghamer-Heimdal
Leutnant der Landwehr des 12. Inf.Reg.

Um das Heer fernerhin schlag- und leistungsfähig zu erhalten, testete, angeleitet vom Ulmer Hofbäckermeister Roschmann, das Neu-Ulmer Proviantamt bereits im Oktober 1914 eine neue Brotsorte: das Kriegshausbrot, Dreipfünder, die aus 1000 Gramm Weizen- und Roggenmehl und 500 Gramm geriebenen Kartoffeln gebacken wurden. Schon schwappte die Welle zwangswirtschaftlicher Narrheiten auf das rechte Donau-Ufer. Am 28. Oktober gab es nur noch das Kriegsbrot – „Ein Volksbrot, wie Deutschland es gerade jetzt braucht“ – zu knabbern. Wenig später waren aus den Regalen der Bäckereien auch Wecken, Brezeln und Hörnchen verschwunden. Sechs Bäckereien waren – der Meister war im Feld – geschlossen, sieben wurden im Oktober 1917 mangels Kohle stillgelegt, in den anderen regierte die Kuchenordnung: „Es besteht Veranlassung, darauf hinzuweisen, daß in Privathaushaltungen hergestellter Teig nur ausgebacken werden darf, wenn es sich um gewöhnliches Brot oder Rohrnudeln ohne Zusatz handelt; ist auch nur der geringste Zusatz an Zucker oder Fett (Butter etc.) oder Eiern enthalten, so ist es ein Kuchen, der nicht ausgebacken werden darf, auch wenn Getreidemehl überhaupt nicht enthalten ist. Der Bäckermeister ist hiefür strafrechtlich haftbar.“ Wer trotzdem noch auf einem Zwetschgendatschi herumkaute, dem ließ die Kriegslyrik des Landsturmmannes Kessel den Bissen im Hals stecken:

> Das ist vom Teufel und soll nicht sein:
> Der Graue leidet große Pein,
> Muß er die Heimat besuchen:
> Zerrissen den Arm, den Fuß im Verband,
> So hinkt er zerschossen ins Vaterland,
> Ihr aber – eßt Kuchen!

Gleich im November 1914 blies der Neu-Ulmer Magistrat den hiesigen Gastwirten den Marsch: „Nach der Anregung des kaiserlichen Gouvernements, durch eine entsprechende Bekanntmachung den Gansviertelpartien zu steuern, wird beschlossen, den hiesigen Wirten den Wunsch auszusprechen, mit Rücksicht auf die vorliegenden Verhältnisse heuer von der Abhaltung von Gansviertelpartien abzusehen.“ Die vorliegenden Verhältnisse skizzierte ein Feldpostbrief eines Zwölfers: „Wir liegen hier vor Arras schon seit 3. Oktober 1914. Während dieser Zeit haben wir uns mühselig ungefähr 6 Kilometer vorgearbeitet. Also große Märsche gibt es nicht mehr. Aber um so aufreibender ist das Leben im Schützengraben bei Sturm, Nässe und Kälte, wo einem nur die Franzosen liebenswürdigerweise mit ihren Granaten und Schrapnells einheizen. Der erste Sturm unseres Bataillons auf drei lumpige, von den Franzosen brillant verteidigte Häuser, war am 8. Oktober. Da ist unser Landwehrzug unter Vizefeldwebel Holzmann und der Zug Simon und Kraus nicht mehr zurückgekommen. Simon ist mit ca. 40 Mann gefangen.“

Indes, auch die Siegesnachrichten blieben natürlich nicht aus, sprachlich ganz knapp gefaßt, damit das Triumphale des Vormarsches denen in der Etappe wie etwas Selbstverständliches erscheine. Von selbst verstand sich zu Hause gar nichts mehr. Beschlagnahmestellen, Bewirtschaftungsstellen, Versorgungsstellen, Bezugsstellen, Kartenausgabestellen, Kriegswucheramt und Magistrat hielten das Alltagsleben nieder. In den Auslagen hiesiger Geschäfte wurden die Offerten an Essen und Kleidung immer schmaler.

So richtig schäbig und lückenhaft wurden die Tage ab 1916. Beim ersten Büchsenlicht, oft schon früh um 4 Uhr, drängelten sich die Hausfrauen vor den Metzgerläden – sechs von 14 Metzgern waren im Feld, ihre Läden dicht – um ihre Bezugskarten in magere Fleischportionen umzutauschen. In den Wurstküchen war die Herstellung von Schweins-, Weiß- und Bratwürsten verboten.

Die rigiden Warenverkehrsbeschränkungen und Ausfuhrverbote wurden bald für viele zur Falle, vor allem für die Ulmer. „Natürlich wurde wieder in zahllosen Fällen versucht“, weiß der Neu-Ulmer Anzeiger zu berichten, „Butter über die Grenze zu schmuggeln, und die Polizeimannschaft hatte alle Hände voll zu tun, die Körbe der Ulmer Hausfrauen, die Rupfensäcke der Händler, die Bauernwagen, die manchmal inmitten schöner Äpfel saftige Butterballen enthielten, nach geschmuggelter Ware zu untersuchen... Vielfach wurde auch wieder Butter in Privathäusern und Wirtschaften eingestellt, um später auf irgend einem Wege nach Ulm geschmuggelt zu werden, und in nicht wenigen Fällen mag das gelungen sein.“ Dem „Butterkrieg“ folgte der „Eierkrieg“: „Am letzten Samstag war der Zustrom von Käufern geradezu unheimlich. Ununterbrochen wanderten ganze Trupps von Frauen und Männern mit Körben und Taschen über die Donau-Brücke in den Neu-Ulmer Schulhof, wo unter Polizeiaufsicht der Eierverkauf vonstatten geht. Einer solch gewaltigen Nachfrage konnte aber auch die größte Zufuhr nicht genügen. Bei dem Bestreben, von den immer geringer werdenden Vorräten noch etwas zu erhalten, kam es unter der harrenden Menge zu so großem Gedränge, daß zwei Frauen ohnmächtig wurden und eine andere eine Verletzung davontrug.“ Resultat: Sperrung des Marktes für Ulmer Familien, Einführung einer Ausweiskarte für Neu-Ulmer, die Hilfsschutzmann Matthäus Opfinger am Einlaßgatter lochen mußte. Am 13. Juli 1916 wurde den Wirten verboten, Eierspeisen herzustellen; ab Januar 1917 war jeder Privathandel untersagt: Eier gab es nur noch im Stadtladen. Für die 3000 Hühner, die in der Stadt gackerten, wurde eine Legepflicht verordnet: 40 Eier pro Jahr mußten sie liefern, wenn sie bei einem Bauern in Futter standen, 30 oder 25, wenn sie in nichtbäuerlichen Anwesen scharrten. Der säumige Hühnerhalter wurde öffentlich getadelt und bekam die Zuckerration gestrichen. Den feldgrauen Dichtern der Zwölferfront wollte Humorvolles nicht mehr gelingen. Dem an der Somme gefallenen Major Schulze, Kommandeur des 3. Bataillons des 12. Reserve-Infanterie-Regiments, schrieb der Nördlinger Kriegsfreiwillige Karl Steinacker im November 1917 folgenden Nachruf:

> Allerseelen-Gruß
> „Zu schmücken sind die Hügel der Kam'raden,
> Die draußen auf dem Friedhof ruh'n;
> Und die Musik soll in den Morgenstunden
> Den toten Brüdern nochmals Ehrung tun
> Im Präsentiermarsch, nach Soldatenbrauch;
> Dann soll sie spielen unter anderem auch
> Das Lied vom guten Kameraden!“
> So befahl am Tag vor Allerseelen letztesmal
> In leichbewegtem, väterlichem Ton
> der Kommandeur von unserm Bataillon.
> Mir ist's, als hörte ich ihn sprechen noch
> Und liegt dazwischen nun ein Jahr, ein volles, doch;
> Es ist ja morgen wieder Allerseelen!
> Gar viele, viele sind es, die heut fehlen,
> Die jahrszuvor noch Kränze mit uns banden
> Und betend mit an Freundesgräbern standen.
> Die welsche Erde trank ihr Blut! – Auch er,
> Der gute „Vater Schulze“ lebt nicht mehr...

Zwar pfiffen einem in Neu-Ulm nicht die Kugeln um die Ohren, aber die Lage war nicht minder desolat. Es gab fast nichts mehr zum Essen, was man ohne Karten bekommen hätte, und von dem, was man hatte, mußte man auch noch abgeben. Bürgermeister Hofrat Kollmann, ein Mann von echtem Schrot und Korn, ließ keine Gelegenheit aus, seine Bürger zu Spendenfreudigkeit zu ermuntern. Wenn es sein mußte, auch mal mit Drohbriefen. „... und werden Sie aufgefordert, soferne Sie nicht Montag, den 8. dieses Monats, nachmittags zwischen 2–4 Uhr in der Altkleidersammlung einen Anzug abliefern, bei Meidung einer Gefängnisstrafe bis zu 1 Jahr und einer Geldstrafe bis zu 10000 Mark ein mit der Versicherung der Richtigkeit und Vollständigkeit versehenes Verzeichnis Ihrer Oberbekleidung und zur Anfertigung solcher geeigneter Stoffe bis spätestens Dienstag, den 9. dieses Monats, abends 6 Uhr, in der Magistratskanzlei vorzulegen, wobei die Nachprüfung der Angaben vorbehalten wird", ließ Kollmann am 5. Juli 1918 all jene wissen, die Jacke und Hose den Heimkehrern aus dem Feld oder den Rüstungsarbeitern vorenthielten.

Frau Hofrat Kollmann, Vorsitzende des Zweigvereins Neu-Ulm des Frauenvereins vom Roten Kreuz, war auch nicht untätig geblieben. Zum Beispiel leitete sie die Sammlung von Obstkernen zur Ölgewinnung mit schönen Zuwachsraten von Jahr zu Jahr: 1916 waren es 5 Zentner Zwetschgenkerne, 1917 schon 7,8 Zentner und 1918 gar 8,8 Zentner. Und zusammen mit anderen honorigen Damen hatte sie vom 6. bis 8. April 1918 auf dem Volksfestplatz beim Augsburger Tor eine Budenstraße aufgebaut, um für Soldatenheime hinter der Front Geld zu sammeln. Sie selber stand mit Küchenhäubchen in der Kochbude, Frau Generalarzt Jungkunz verkaufte Brezeln, Frau Kommerzienrat Römer hatte Spielsachen zusammengetragen, Frau Kaufmann Scheerer verscherbelte Meßbrockel und Frau Inspektor Schmollinger band in ihrer Blumenbude bunte Blumensträußchen. Frühling ließ sein blaues Band wieder flattern durch die Lüfte. Doch die dazugehörige Stimmung wollte in Neu-Ulm nicht mehr aufkommen. Das Bier wurde immer dünner, weil die Auslandsgerste fehlte und die inländische zur Brotstreckung gebraucht wurde; da es in Württemberg noch teurer war als hier, schleppten es die Ulmer in großen Krügen und sogar Milchkannen auf die andere Donauseite. Bereits seit Juli 1916 war es verboten, eine Sonntagsfahrt mit dem Radl zu unternehmen; werktags durfte es nur während der Berufsausübung und zu Fahrten von und zur Arbeitsstelle aus dem Schuppen geholt werden. Auch das Ostereierfärben war streng untersagt worden, und wenn Kinder auf dem Osterspaziergang zwischen Offenhausen und Pfuhl aus goldenem Raps ein Sträußchen pflückten, konnte es sein, daß sie von Passanten belehrt („aus Raps macht man das köstliche Öl"), ihre Eltern aber als „Frevler am Gut des Vaterlandes" unnachsichtig zur Anzeige gebracht wurden. Sogar der Leichenschmaus war verboten. Ein Schöppchen Wein konnte man indes noch kaufen: mit Geld aus der J. W. Helbschen Buchdruckerei (auch der Neu-Ulmer Goldschmiedemeister Otto Ehinger hatte einen 50-Pfennig-Geldschein entworfen, der einen nach dem Feld auslugenden Krieger im Stahlhelm zeigte). Für Wein gab es nämlich keine Preisbindung, weil Preußens Landwirtschaftsminister einer der größten Weingutsbesitzer im Reich war. Und für den Flaschenkorken hatte der von Apotheker Hayn gegründete Hilfsverein zur Linderung der Kriegsnot immer Verwendung. Hayn und sein Nachfolger, der Privatier Friedrich Krick, sammelten fast alles: Frauenhaare, Gummiabfälle, Stanniol, Weißblechdosen, Briefmarken und Liebesgaben für die Zwölfer und Fußartilleristen. Wofür dann „mit frohem, zuversichtlichem Hurrah" öffentlich Dank abgestattet wurde, manchmal auch ganz privat:

> Liebeshandschuh trag ich an den Händen,
> Liebesbinden wärmen meine Lenden,
> Liebesschals schling ich nachts um den Kragen,
> Liebeskognak wärmt den kühlen Magen,
> Liebestabak füllt die Liebespfeife,
> Morgens wasch ich mich mit Liebesseife,
> Liebesschokolade ist erlabend,
> Liebeskerzen leuchten mir am Abend,
> Schreib ich mit dem Liebesbleistift tiefe
> Liebesgabendanksagebriefe.
> Wärmt der Liebeskopfschlauch nachts den Schädel,
> Seufz ich: „So viel Liebe – und kein Mädel!"

Besonders gefragt bei neu-ulmischen Einrichtungen der Kriegswohlfahrt war Goldschmuck. Als psychologisches Stemmeisen für die Schmuckschatullen dienten Sprüche wie „Jugend und Schönheit sind Schmuck genug, du brauchst keine Perlen und Edelsteine!" oder „Gieb! Die Braut gab den Bräutigam! Kinder ihre Väter! Eltern ihre Söhne! Die Söhne – Blut und Leben! Und du behieltest Dein Gold." Auch die Kirche hat gegeben: ihre Glocken nämlich. Am Sonntag, den 14. Juli 1918 „beschlossen nach viertelstündigem Abschiedsläuten nach dem Gottesdienst", so schrieb der Neu-Ulmer Anzeiger, „die zwei großen Glocken der protestantischen Kirche ihren Dienst am Heiligtum... Sie dürfen den ersehnten Frieden nicht mehr einläuten." Die Katholiken von nebenan hatten Glück: Die Glocken von St. Johann waren, weil aus Stahl gegossen, nicht kriegsverwendungstauglich. Unter deren stählernem Klang marschierte am 23. November 1918, 12 Tage nach dem Waffenstillstandsabkommen in Compiègne, von der Westfront kommend, die 37. ungarische Honved-Infanteriedivision in das Städtchen ein. Ein buntes Bild für einige Tage: Die Straßen wieder voll Kolonnen, galoppierende kleine, ungarische Pferde, massige, ungarische Ochsen mit ihren Riesenhörnern. Pferd und Wagen wurden noch kurz vor der Verladung der Kriegsheimkehrer am 27. November versteigert. Für billiges Geld (einige Hunderter) wurde mancher Neu-Ulmer zum Pferdebesitzer.

Am Sonntag, den 1. Dezember, vormittags 11 Uhr rückten vom Artilleriedepot in Offenhausen Teile der einst in Neu-Ulm garnisonierten Fußartilleristen ein. Hinter der 1. Batterie trabten zwei Schimmel des Ludwigsfelder Ökonomen Fink, der Fuchs des Bauern Sailer und der Rotschimmel der Witwe Kölle von der Illerbrücke: sie hatten den Krieg auf allen Schlachtfeldern mitgemacht.

Am Freitag, den 13. Dezember 1918 meldete der Neu-Ulmer Anzeiger: „Die Zwölfer kommen heim! Die lange erwartete Heimkehr der Zwölfer hat sich heute abend bewahrheitet. Schon vor 14 Tagen hatte man sie erwartet, Bahnhof und Stadt schon längst geschmückt. Um 6.30 Uhr fuhr der Zug mit dem Stab des Regiments und einer Maschinengewehrkompanie ein, von Musik-Klängen und Hochrufen empfangen. Er fuhr aber zunächst zum Artilleriedepot bei Offenhausen, wo die Mannschaften, Pferde und Fahrzeuge entladen wurden. Von dort marschierten die Mannschaften (ca. 170 Mann) unter Vorantritt der Standortmusik durch die Augsburger Straße zum Kriegerdenkmal, wo der Stadtvorstand, der sich mit einer Vertretung der bürgerlichen Kollegien schon am Bahnhof eingefunden hatte, in tiefempfundenen Worten den Willkommensgruß der Stadt bot." Wenige Tage vor Weihnachten richtete der Regimentssoldatenrat im Café Fromm und im Konzertsaal ein Abschiedsfest aus. Der Frauenverein verteilte Liebespakete, die ursprünglich für die Feldweihnacht 1918 gedacht waren. Von den insgesamt 3000 Mann, die am 7. August 1914 ins Feld verladen worden waren, machten 193 den ganzen Feldzug mit, 242 gerieten in Gefangenschaft, alle anderen fielen, schieden wegen Verwundung vorher aus oder wurden ausgemustert. Die Verluste der Zwölfer insgesamt: 98 Offiziere gefallen, 138 verwundet, 3036 Unteroffiziere und Mannschaften gefallen, 6882 verwundet.

Lange Jahre, klägliche, schreckliche Jahre waren die Feldgrauen disziplinär gebunden. Jetzt plötzlich waren die Untertanen herrenlos. Am 7. April 1919 riefen in München die revolutionären Gruppen nach einer tumultuarischen Nachtsitzung im Wittelsbacher Palais die Räterepublik aus. König Ludwig III. hatte schon vor fünf Monaten auf Schloß Anif bei Salzburg, wohin er geflohen war, erklärt, daß er nicht mehr in der Lage sei, die Regierung fortzuführen. Die „Volksbeauftragten" der bayerischen Räterepublik waren es auch nicht. Über Ingolstadt und Augsburg rückte die „Weiße Armee" an, darunter vier Kompanien der Zwölfer, die sich in Neu-Ulm unter Oberstleutnant Wolf und Hauptmann Graf zu zwei Freikorps zusammenfanden. Mancher alte Frontkämpfer mag auch mit fliegenden Fahnen zu Ritter von Epp, der über der Donau drüben in Ulm sein berühmt-berüchtigtes Freikorps gesammelt hat, übergelaufen sein. In Augsburg und München lieferten sie sich noch einen brutalen Straßenkampf mit roten Partisanen und wild um sich schießenden Dachschützen: Anfang Mai hatten sie die Revolution buchstäblich mit dem Stiefelabsatz ausgetreten. Neu-Ulms Garnisonszeit war zunächst zu Ende. Das 1899 an der Donau erbaute Offizierskasino ging pachtweise an die Stadt über, die es zum Rathaus ausbaute; aus den Kasernen wurden Wohnungen und Geschäftsräume. □

Weckerlinie der freiwilligen Feuerwehr 1924 (im Hintergrund rechts das heute noch fahrtüchtige Löschfahrzeug: die „Bayernspritze")

Die katholische Stadtpfarrkirche St. Johann Baptist Anfang der 50er Jahre

Dem Abgrund entgegen

**Von einem Löwen in Schutzhaft
und dem Irrsinn der letzten Tage**

Unser Bedürfnis nach historischer Etikettierung ist groß. Wer immer beim Blick zurück eine Übereinstimmung des Lebensgefühls, eine Gemeinsamkeit des Geschmacks, der gesellschaftlichen Ausdrucksformen entdeckt zu haben glaubt, betätigt sich gleich als Schildermaler. Die Amerikaner haben daher ihre „Roaring Nineties", die Franzosen ihre „Belle Époque", die Deutschen ihre „gute alte Zeit" und die „goldenen Zwanziger". Recherchiert man allerdings mit der Nase am Boden, erweist sich die „gute alte Zeit" manchmal als sehr schäbig. Auch die zwanziger Jahre waren die goldenen nicht für das Volk. Für das Volk war es die Zeit der Inflation, der Arbeitslosigkeit, der kreatürlichen Not, der politischen Wirren. Neu-Ulm macht da keine Ausnahme. Die goldenen Zwanziger, es gab sie vielleicht im Glanz der Hauptstadt München. Um Karl Becker-Gundahl und Karl Caspar sammelten sich zwei große Malschulen (1919 wurde Caspar mit dem Neu-Ulmer Edwin Scharff als Stellvertreter zum Vorsitzenden der „Münchner Neuen Secession" gewählt). An der Akademie der Tonkunst lehrte seit 1921 Josef Haas aus Maihingen im Ries; Richard Strauss lebte in München und Garmisch. Der Chirurg Ferdinand Sauerbruch operierte an den Universitätskliniken. Auf dem Lehrstuhl für Chemie saß der Nobelpreisträger Richard Willstätter, der freilich 1924 seine Professur hinwarf, um gegen die antisemitische Berufungspolitik seiner Fakultät zu protestieren. Matter Goldschimmer, wenn man so will, auch in Neu-Ulm: Unter dem Stadtpfarrer von St. Johann Baptist, Dekan Otto Jochum, begann anno 1921 der Architekt Dominikus Böhm mit dem Umbau und der Erweiterung des katholischen Gotteshauses. Böhm, 1880 als jüngstes von sechs Kindern eines Baumeisters in Jettingen an der Mindel geboren und seiner von Einfällen übersprudelnden Begabung wegen schon in jungen Jahren als Lehrer an die Bau- und Kunstgewerbeschule in Offenbach am Main berufen, hatte bereits 1915 mit markantem Kohlestrich eine katholische Garnisonskirche gleich hiner dem Augsburger Tor entworfen: eine an frühchristliche Zeiten erinnernde Basilika mit Kreuzbalken-Grundriß, einer mächtigen Kuppel über der Vierung und nur locker mit der Hauptbaumassse verbundenem Turm. Doch Krieg und Inflation ließen Zeichnungen und Papierrisse in die Schublade wandern.

Böhm holte sie auch nicht mehr heraus, als er 1921 den Auftrag erhielt, die katholische Stadtpfarrkirche zu vergrößern. Auf nachschaffende Anlehnung an Sakralbauten, wie man sie in Ravenna oder Verona findet, verzichtet er ganz. Er sprengt den alten Grundriß, um Platz für neuartige Raumvorstellungen und überraschende Lichtführung zu bekommen. Die Seitenwände sind zum Altar hin in vielen Faltungen dem einströmenden Licht geöffnet, von den schräggestellten Pfeilern ziehen Strahlenlinien nach oben in die Gewölbe, wo sie fantasievolle Verschränkungen bilden.

Der Durchbruch zur neuen Form des Kirchenbaus manifestiert sich vor allem in der „Lichtturbine" der Auferstehungskapelle und in der kreisförmigen Taufkapelle, in die - ein Sinnbild der Gnade - wie in einen Schacht das Licht von oben auf das Taufbecken fließt. Der mystisch-expressionistische Bau wird beherrscht von einer wuchtigen, westwerkähnlichen Fassade mit dreigeteilter Pforte, errichtet aus Jurakalk vom Festungsabbruch, Handstrichziegeln und Biberschwanzabfällen.

Seit 1915 beschäftigte sich der Architekt Dominikus Böhm mit dem Bau einer katholischen Garnisonskirche hinter dem Augsburger Tor. Auflösung der Armee und Inflation verhinderten, daß die Pläne (hier eine Zeichnung aus dem Jahr 1917) Steinsprache wurden.

Fünf Jahre zogen sich die Arbeiten an dem Kirchenbau hin, der seinen Architekten Dominikus Böhm nach eigener Einschätzung „berühmt gemacht hat". Ob das Volk zu Neu-Ulm Größe und Erhabenheit des neuen Gotteshauses erahnt hat? In der Umgebung des Bischofs von Augsburg jedenfalls blieb es nicht nur bei kritischen Tuscheleien, nein, man äußerte laut seine Verstimmung darüber, daß der Plan einer „Kriegsgedächtniskirche für Schwaben und Neuburg, zu der die vom Krieg heimgekehrten Soldaten von Zeit zu Zeit wallfahren und Gott für die Gnade der Rückkehr danken", aufgegeben worden war. Geradezu als Blasphemie erschien es im Kreis der kirchlichen Würdenträger, daß auf der Abschlußmauer vor der Kirche nicht ein in Stein gemeißelter sterbender Krieger, sondern der geflügelte Löwe des jungen Bildhauers Fritz Müller aufgestellt wurde.

Von der Festung umzingelt: Neu-Ulm mit seinen mächtigen Kasernenkomplexen in einer Ballonaufnahme aus dem Jahr 1910

Der Groll unter den Soutanen saß tief. Als acht Jahre später, am 4. Dezember 1934, die Braunhemden im Neu-Ulmer Stadtrat auf Initiative des Kreisleiters Hermann Boch die Eliminierung dieser „kulturbolschewistischen Kunstkarikatur" verlangten, erteilte das bischöfliche Ordinariat, ansonsten nicht allzu anfällig für den Virus nationalsozialistischer Barbarei, seinen Segen dazu. In das trübe Gas aus den Schweinsblasen gesunden Volksempfindens mischte sich Weihrauchduft. „Es ist ein Verdienst der NS-Fraktion", so das Lob aus dem bischöflichen Palais, „diesem Volksempfinden Rechnung getragen und damit den Kirchenverwaltungsbeschluß vom 4. Januar 1934 auf Entfernung der anstößigen Plastik veranlaßt zu haben."

Der Löwe mußte auf Kosten der Stadt von seinem Aussichtsplatz runter. Im Oktober 1958 erst wurde er aus seiner Schutzhaft beim Augsburger Tor, wo er Kindern als Kletterobjekt diente, befreit und einige Meter vom alten Standort entfernt wieder aufgestellt. Die Pranke wie damals auf dem Evangelienbuch, träumt er seitdem auf seinem nicht gerade hinreißend schönen Betonsockel den Alptraum vom tausendjährigen Reich.

Wie es dazu kam, daß Hitlers Schwindelfirma zur Macht und zu einer Machtfülle gelangte, der gegenüber alle politischen und rechtlichen, alle gesellschaftlichen und geistigen Sicherungen versagten, läßt sich mit tradtionellen Vorstellungen vom Wesen politischer Krisen und putschistischer Verschwörungen nicht erklären. Auch die Spurensicherung terroristischer Gewaltpolitik in Neu-Ulmer Scholle führt sehr schnell in ein dichtes Gestrüpp aus hohlen Rechtfertigungen und alles zudeckenden Vertuschungsversuchen. Akten und Urkunden sind fast alle verbrannt. Neu-Ulms Stolperweg in den Abgrund war mit Ereignissen gepflastert, die anderswo ganz ähnlich aussahen. Nur ging's hierzulande nicht so gewalttätig und heftig zu. Natürlich stimmte auch der Neu-Ulmer Bürger bei den Reichstagswahlen am 5. März 1933 für die „nationalsozialistische Revolution", wie die Wahlergebnisse vom September 1930 an deutlich belegen:

Neu-Ulm, Stadt

Partei	Sept. 1930	Juli 1932	Nov. 1932	März 1933
NSDAP	1855 (29,7)	2645 (41,6)	2502 (37,3)	3650 (48,5)
SPD	2010 (32,2)	1413 (22,2)	1262 (18,8)	1397 (18,5)
KPD	230 (3,6)	483 (7,6)	752 (11,2)	464 (6,1)
Kampffront Schwarz-Weiß-Rot	374 (5,9)	425 (6,6)	572 (8,5)	562 (7,4)
Bayerische Volkspartei	1080 (17,3)	1150 (18,0)	1298 (19,3)	1238 (16,4)

Damit auch der letzte Spaziergänger gleich mit ruhig-festem Schritt in die neue Zukunft marschiere, wurden bereits am 27. April 1933 Straßen und Gebäude umbenannt: die Augsburger Straße (Hausnummer 1 bis 50) in Hindenburgstraße, der Augsburger-Tor-Platz in Adolf-Hitler-Platz und die Villenstraße in Ritter-von-Epp-Straße; die Zentralschule erhielt den Namen von dem zum SA-Sturmführer in Berlin verkommenen Pfarrerssohn Horst Wessel, über den die Jungvolkpimpfe bald belehrt wurden:

Franz Josef Nuißl
Oberbürgermeister von 1919–1945

Von all unsern Kameraden
war keiner so lieb und so gut
als unser Sturmführer Wessel,
ein lustiges Hakenkreuzlerblut.

Neu-Ulms seit 1919 amtierender parteiloser Oberbürgermeister Franz Josef Nuißl mußte seinen Amtssessel dem Parteigenossen Franz Josef Nuißl freimachen, wollte er nicht wie sein Ulmer Amtskollege Dr. Emil Schwamberger einer Säuberungsaktion zum Opfer fallen. Schwamberger wurde amtsenthoben; Nuißl bekam als Sonderkommissar den SA-Führer Berthold vor die Nase gesetzt, der sich im Wohlfahrtsamt gleich so breit machte, daß der sozialdemokratische Stadtrat Glasbrenner weichen mußte.

SPD-Fraktionskollege Josef Dirr wurde aus unerfindlichen Gründen im Januar 1940 auf dem Bahnhof von der Gestapo festgenommen und 14 Wochen lang in einem Augsburger Gefängnis hinter Schloß und Riegel gesetzt. Clemens Högg, zusammen mit Dirr anno 1911 Gründungsmitglied des SPD-Ortsvereins und bis zu seinem Umzug nach Augsburg Anfang der zwanziger Jahre Bürgermeister in Neu-Ulm und Landtagsabgeordneter für den Stimmkreis Krumbach/Neu-Ulm kam im KZ Bergen-Belsen um.

Hitler hatte Mitläufer auch in Neu-Ulm. Der Widerstand besaß kaum Popularität und Prestige, wenngleich der Volkswitz hin und wieder sarkastische Blüten trieb, wie zum Beispiel an jenem Sonntagmorgen des Frühjahrs 1938, an dem der Neu-Ulmer Feuerwehrkommandant und Spenglermeister Wilhelm Öchsle nach einer Luftschutzübung in der Zentralschule den braunen Musterknaben Wilhelm Dreher, Polizeidirektor in Ulm, ausstach.

Kopf Öchsle lieferte mit Kehlkopf Dreher folgendes kleine Wortscharmützel:

Dreher: „Angenommen, das Feuer hat sich so sehr ausgebreitet, daß die Spritzen nicht mehr ausreichen. Was tun Sie?"

„Ich rufe die Ulmer Feuerwehr zur Unterstützung."

„Die Donaubrücken sind gesprengt und daher nicht passierbar!"

„Dann rufe ich die Pioniere mit den Pontons."

„Die Pioniere sind nicht da, von auswärts können keine Verstärkungen herangebracht werden. Was tun Sie jetzt?"

„Ich kommandiere: Helm ab zum Gebet!"

Vom evangelischen Kirchenplatz durch die Schützenstraße, vorbei an der alten Turnhalle, marschierte Neu-Ulms männliche Jugend in schwarzer Hose und Braunhemd, um den Hals ein schwarzes Tuch mit Lederknoten, zum HJ-Heim am Illerkanal, dabei laut grölend:

Wir schaun nicht links, wir schaun nicht rechts,
gehn vorwärts sturmumwittert.
Wir sind die Erben des Geschlechts,
vor dem die Welt gezittert.

Uns gilt alleine Kraft und Mut
der Tapferen und Kühnen.
Wir woll'n der toten Brüder Blut
durch mut'ge Taten sühnen.

Musterung in der „Stadt Athen" 1935

Rache, Erobern, Zerstören ohne Rücksicht auf Verluste – was haben sich die Kinder vom Säuglingssturm unter alledem vorgestellt? Was der halbwüchsige Pennäler, wenn er draußen vor der Klasse rezitieren mußte:

Ein Sekundaner, sechzehn Jahr, steht im Bezirksgedräng.
Der Stabsarzt sagt ihm klipp und klar: Die Brust ist viel zu eng.
Für eine Kugel breit genug, sagt keck
der junge Schneuz,
und, so es Gott im Himmel will, auch für ein
Eisern' Kreuz.

Animierenden Anschauungsunterricht boten ihnen die Kriegsspiele auf dem Exerzierplatz vor Ludwigsfeld. Neu-Ulm war nämlich wieder Garnison geworden. Für das neuaufgestellte Pionierbataillon 45 wurde in der Nähe des Friedhofs 1935 die Reinhardt-Kaserne gebaut, für Teile des 5. Artillerieregiments entstand 1937 an der Memminger Straße die Ludendorffkaserne. Und wie damals in der guten, alten Garnisonszeit genoß auch jetzt wieder das „Soldäterles-Spiel" höchstes Ansehen beim Neu-Ulmer Nachwuchs. Eisern die Mienen, eisern der Gang, auch der Heldentod gehört zu den Spielregeln. Versteht sich, daß keiner der Akteure das Gefühl hatte, Objekt eines (anfangs noch geheimen) Verführungsprozesses zu sein, an dessen Ende der zähe, harte, Hitler bis in den Tod getreue Kämpfer stand. Ebensowenig bemerkte die zehnjährige Heidrun beim fröhlichen Jungmädchendienst mit Blumenkränzchen im Blondhaar und Blockflöte, daß sie und ihre Gespielinnen auf das NS-Mütter-Image getrimmt wurden. Viel schneller als man dachte, wurde wahr, was Pimpf und Jungmädel zur Klampfe gezwitschert haben:

Es zog ein Hitlermann hinaus,
er ließ sein Mütterlein zuhaus.
Und als die Trennungsstunde kam,
er leise von ihr Abschied nahm,
sie aber weinend zu ihm spricht:
Hitlergardist tu deine Pflicht!

Am 20. April 1939 sah man drüben in Ulm zum ersten und zum letzten Male, welch gewaltige Streitmacht in der Festung versammelt war. Auf dem Münsterplatz zogen sie vorbei: die nicht enden wollenden Karrees der Infanterie, die bespannte Artillerie (voran der „Kesselpauker"), die motorisierte schwere Artillerie mit ihren wie Vorzeitungetüme ausschauenden Geschützen, Pionierbataillone sowie Nachrichten- und Beobachtungsabteilungen.

Ende August wurden Einheiten des 5. Artillerieregiments aus der Ludendorff-Kaserne auf dem Ladebahnhof Neu-Ulm verladen. „Pferde zogen die Geschütze durch die Unterführung an der Hermann-Köhl-Straße und rutschten auf dem glatten Kopfsteinpflaster. Wütend schlugen Soldaten auf sie ein, die Rosse schäumten", schreibt der Neu-Ulmer Schmiedmeister August Welte, Vorsitzender des Bürgervereins von 1964 bis 1974, in seinen Jugenderinnerungen. Am 1. September 1939, früh um 4.45 Uhr, erhob sich die deutsche Wehrmacht aus ihren Bereitschaftsstellungen: Der Krieg zwischen dem Reich und Polen hatte begonnen. Auf dem Schwal beim Ehrenmal Edwin Scharffs ging ein Flakgeschütz in Stellung. Auf mehreren Häusern und sogar auf der neuen Donaubrücke werden Flakstände montiert.

Noch glaubte niemand in Neu-Ulm, daß die fatal inspirierte Politik der Nazis der Stadt zum Verderben ausschlagen würde. Fünfeinhalb Jahre ist sie noch vom Irrsinn der letzten Tage entfernt, denen sie indes Schritt für Schritt entgegentaumelt.

Bild links: Letzte Fahrt
1942 landeten die Löwen vom Kriegerdenkmal auf dem Platz vor der evangelischen Kirche in den Schmelzöfen der Waffenschmiede

Am 16. März 1944 heulten wieder einmal die Sirenen. Wenig später explodierten in der Karlstraße einige Phosphorkanister, im alten Garnisonslazarett brannte der Dachstuhl. Bei einem Luftangriff am 10. September 1944 wurden Rathaus, Ortskrankenkasse, Realschule und Löwenbrauerei schwer beschädigt. Am 17. Dezember zwischen 19 Uhr 23 und 19 Uhr 50 bombardierten alliierte Kampfflugzeuge die Nachbarstadt Ulm: Neu-Ulms Turnhalle steht in Flammen, das Hauptgebäude der Realschule brennt völlig nieder. Am Donnerstag, 1. März 1945, kurz nach 13 Uhr, stürzen die Neu-Ulmer wieder in die Keller. Wenig später Motorengedröhn in der Luft. Dann auch schon das Pfeifen der Bomben. Explosionen lassen die Erde erbeben. In einer dreiviertel Stunde werfen 750 Flugzeuge 20 000 Bomben auf die Stadt. Neu-Ulm gleicht einem Trümmerhaufen. Flammen schlagen aus Dächern und Fenstern: In der Innenstadt tobt ein Feuersturm. Unter den Trümmern liegen 532 Tote und 181 Verwundete.

Bleigrau steigt der 4. März 1945, ein Sonntag, herauf. Um 9 Uhr aufs neue Sirenengeheul. Gegen 10 Uhr fliegen 500 Flugzeuge in zwölf Wellen auf die Stadt zu. Der Angriff dauert genau 62 Minuten. 100 000 Bomben machen Neu-Ulm von der Hermann-Köhl-Straße bis zur Wallstraße dem Erdboden gleich. In den Schuttbergen findet man 154 Tote. 6000 Menschen haben kein Dach über dem Kopf. In den Straßen gähnen riesige Bombentrichter. Massenweise liegen Brandbomben mit und ohne Sprengsatz und Brandpäckchen herum. Da und dort sackt mit ohrenbetäubendem Knall eine Hauswand in sich zusammen. Wasser-, Gas- und Lichtleitungen sind zerstört. Was die Überlebenden in den Ruinen ihrer Häuser noch finden, versuchen sie mit Leiterwägen, Pferdefuhrwerken und Fahrrädern in Sicherheit zu bringen, verfolgt von Flugzeugen, aus denen Soldaten mit Maschinengewehren schießen. Um die Bahnanlagen vollständig zu zerstören, kommen am 19. April noch einmal Tiefflieger.

Über Neu-Ulm liegt eine Staubwolke. Die Bevölkerung der beiden Donaustädte saß 24455 Minuten – das sind umgerechnet 16 Tage, 23 Stunden und 35 Minuten – in Luftschutzkellern und Bunkern. Insgesamt 268mal wurde Fliegeralarm gegeben, davon 142mal bei Nacht. Aus den Schächten von über 2000 alliierten Flugzeugen fielen bei 22 Angriffen 310607 Minen-, Spreng-, Phosphor- und Stabbrandbomben sowie Langzeitzünder auf die Stadtbezirke links und rechts der Donau: vier Bomben pro Kopf der Bevölkerung. Von den insgesamt 12765 Gebäuden blieben lediglich 2633 unbeschädigt. In Ulm waren 80 Prozent des Altstadtkerns beschädigt, in Neu-Ulm 76 Prozent aller Wohnhäuser und Verwaltungsgebäude sowie 86 Prozent aller Fabriken, Werkstätten und Lagerhallen. Die Städte lagen unter 1,2 Millionen Kubikmeter Schutt.

Am 25. April 1945 marschierten Kampftruppen der 3. amerikanischen Armee ein und besetzten Neu-Ulm. Zwei Tage vorher hat ein deutscher Zündoffizier die Donaubrücken gesprengt. Die Bevölkerung hatte drei Tage Ausgehverbot. □

Nach dem Furioso der Zerstörung ein furioser Wiederaufbau: Neu-Ulm von der Bahnhofstraße aus gesehen.

Mit Zuversicht ans Ziel gelangt: das neue Neu-Ulm

Seine in Bronze gegossenen „Drei Männer im Boot“ mit den fächerartig auseinanderstrebenden Rudern wünschte sich Neu-Ulms großer Sohn Edwin Scharff auf einem riesigen, nach oben verjüngten Pfeiler inmitten eines großen, freien Platzes, der von durchlaufenden Treppen, Brüstungen, Sockeln und Skulpturen klar gegliedert ist. Scharffs (für die Hansestadt Hamburg entworfener) Plan mußte auf die Neu-Ulmer Schuhgröße zurechtgestutzt werden. Seine „Drei Männer im Boot“ stehen seit der Zentenarfeier 1969 auf einem hohen, von Wasserschleiern umhüllten Sockel auf dem Rathausplatz: ein Wahrzeichen der Stadt und Symbol für Zähigkeit und Zuversicht ihrer Bürger.

Pessimismus besaß nie Prestige in Neu-Ulm. Auch als sie in geflickten Militärjacken auf den Trümmerbergen des Jahres 1945 saßen, galt seinen Bewohnern die Trostlosigkeit der Verhältnisse nicht als unentrinnbar. 1952 lag die Stadt, wie ihr damaliger Oberbürgermeister Tassilo Grimmeiß nicht ohne Stolz vorrechnete, an der Spitze des Wohnungsbaus in der gesamten Bundesrepublik und zählte rund 1100 Betriebe fast aller Branchen mit über 4300 Beschäftigten. Seit Jahrzehnten gehört sie zum Club der steuerkräftigen Kommunen Bayerns. Der Musterknabe will sich seine kraftstrotzende Pausbäckigkeit nicht abschminken lassen: Bis zum Jahr 2000 sollen entlang der „Entwicklungsachse“ zwischen Ludwigsfeld und Burlafingen 5000 neue Wohnungen für Neubürger erbaut und das Gewerbegebiet von 240 auf 360 Hektar erweitert werden. Einem an Silvester 1980 von der Ulmer „Südwestpresse“ in Umlauf gesetzten Orakel zufolge hat der bayerische Juniorpartner bis dahin sogar den großen Bruder Ulm an Einwohnerzahl und Fläche überrollt. Ob da nicht noch mehr Wasser den Denkmalsockel herunterrieseln muß? □

RATHAUS

Einzug in die katholische Stadtpfarrkirche St. Johann Baptist:
eine gotisierend-expressionistische Raumschöpfung,
die 1922 bis 1927 entstand.

1921 erhielt der aus Jettingen an der Mindel stammende Architekt Dominikus Böhm den Auftrag, den aus dem Jahr 1860 stammenden neuromanischen Kirchenbau umzubauen und zu erweitern. Böhm sprengte den alten Grundriß, erweiterte das Langhaus um Seitenschiffe und stellte vor die Hauptfront eine wuchtige, westwerkähnliche Fassade mit dreigeteilter Pforte.

Das Gotteshaus ist einer der frühesten und bemerkenswertesten Versuche moderner Sakralbaukunst. Der Durchbruch zu neuen Formen manifestiert sich vor allem in der „Lichtturbine" der Auferstehungskapelle (Bild unten) und in der kreisförmigen Taufkapelle, in die das Licht von oben strahlenförmig einbricht (Bild rechte Seite).

Durch Neu-Ulm durch:

von der Schützenstraße
in die Augsburger Straße

An frühgotische Vorbilder angelehnt:
die evangelisch-lutherische Petruskirche

Jeden Mittwoch und Samstag schießen in der Marienstraße vor der Petruskirche die Schirme aus dem Boden: Markttage

Quer über den Marktplatz zieht der 10. Längengrad östlich von Greenwich seine Spur zum Äquator

Stadtansichten eines Hochhausbewohners am Augsburger-Tor-Platz

Das Schießhaus der „oberen“ Schützen war 1679 Ziel einer Lustpartie mit 13 Schlitten (Bild oben). 1772 hielt es ein unbekannter Maler fest (Bild links). Unten sieht man Kanzleirat Schlotterbecks „Sommervogel“ nach dem Baum- und Wirtschaftsgarten des Schießhauses dürsten.

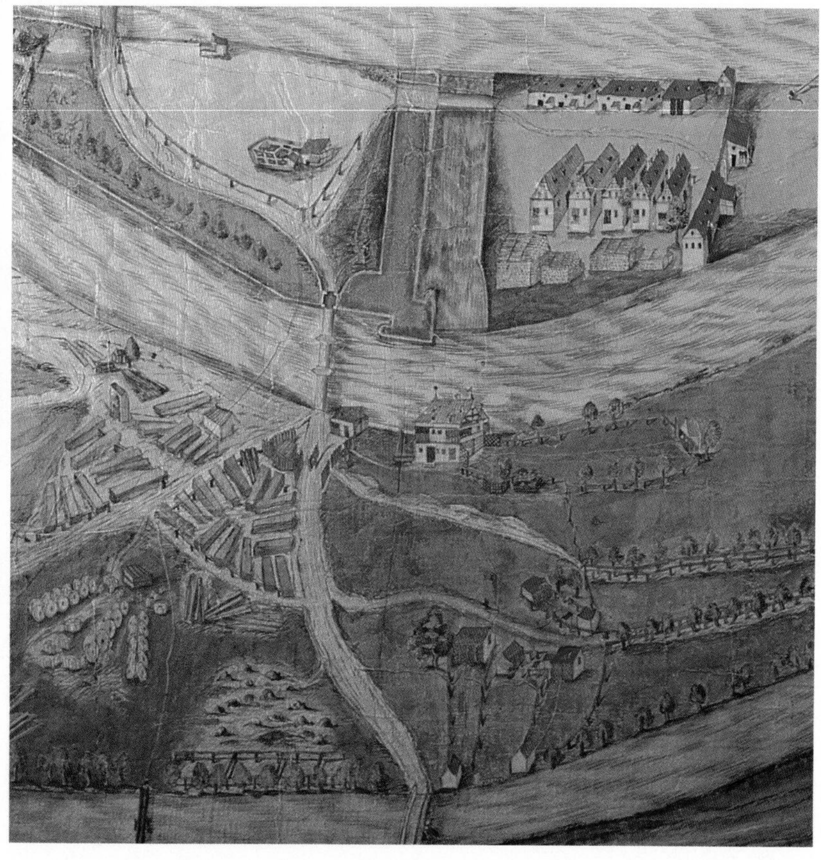

Bild rechts:
An der kleinen Donau, gegenüber der befestigten Insel, lag das Haus der Armbrustschützen. Ausschnitt aus einem Vogelschauplan des rechten Ufers um 1600

Die Geschichte vom Schießhaus Neu-Ulms ältestem Gebäude

Von Frau „Pulffermacherin", einer denkwürdigen Ohnmacht und dem Neu-Ulmer Ableger eines berühmten schwäbischen Dichters

Neu-Ulmer Entree von der Herdbrücke aus: Auf die Pensionistenrennbahn, wie das Donau-Ufer auch genannt wird, fällt der Schatten des Donau-Center-Kolosses; Bankgebäude recken sich in die Höhe; im unablässig strömenden Verkehrsfluß schwimmen Schwärme von Auto-Haien. Die Fäden, die das Bild des alten Neu-Ulms zusammengehalten haben, sind zerschnitten an dieser Stelle. Freilich: Die imponiersüchtige Fantasielosigkeit der Gebäude ist importiert. Sie kann sich gottseidank nicht zu neuulmischem Normalmaß aufspreizen.

Der Schmelz der frühen Jahre ist dahin. Rentner auf Dämmerstunden-Patrouille und gelernte Brotzeitmacher sollen, so erzählt man sich, Tränen in den Augen gehabt haben, als ihr Stützpunkt „wegsaniert" und aus Stahl und Beton das Donau-Center errichtet wurde. Ihrer Meinung nach hat der liebe Gott Eisen wachsen lassen, um das Werkzeug für Knöcherlsulz- und Weißwurstverzehr zu machen: Messer und Gabel; eine Überzeugung, die teilweise korrigiert werden muß, zumindest was die Weißwürste anbetrifft. In der einstigen „Löwenbrauerei" war auch das Auszuzzeln absolut tafelfähig. Und es galt nicht als Verstoß gegen die Tischsitten, wenn man die „Montur" vom Ende her mit Daumen und Zeigefinger abzog. Erinnerungen an die Wohnlichkeit reichen in einer so jungen Stadt wie Neu-Ulm natürlich nicht sehr weit zurück. Von dem launigen Geplänkel, von dem Lärmen und Tosen, vom Bratenduft und dem Edelmoder weitbauchiger Weinfässer, Gerüche, die einmal so angenehm an den Ufern der kleinen Donau entlangzogen, weiß heutzutage nur noch das Archiv zu berichten.

Wo die Raiffeisenbank steht, war im 16. Jahrhundert das Vereinsheim der Ulmer Armbrustschützen, ein Fachwerkhaus mit Herrenstube, Speisezimmer, Waffenarsenal, Küche und Erker. Die Schießhütte, 150 gute Schritt lang und 8 weit – „ain ross het muegen drin erlauffen" –, erstreckte sich bis zum Schweinsgraben. Nicht zu vergessen die vier Schießstände:

> Sy waren gemacht gleich wie ayn schrein,
> da kund man ghan wol aus ein eyn,
> mit schenen predern gar wol bedeckt,
> das das weder kain schitzen erschreckt.
> Es reng, es schneib, oder wehe der wynd,
> um das kayn schitz kayn ausred fynd,
> das kayner geb dem weder schuld.

Wer da die Fackel seiner Reimkunst so hoch auflodern läßt, ist kein Geringerer als der Augsburger Lienhart Flexel: Zieler, Possenreißer und Festdichter auf allen berühmten Freischießen zwischen Worms und Innsbruck. So ein Waffenfest war allemal ein großes Ereignis. Nach der Hausmacherart der Meistersänger gibt uns Flexel kund und zu wissen:

> Wann man im reych kuertzweil will dreiben
> so thuet ain statt der anderen schreiben...
> ayn jedliche statt thuet schitzen erwellen,
> Und kayn schitzn darf das nit verdrießen:
> man gibt inn geld, und schückts auf schießen.

Als sich am Sonntag nach St. Michael des Jahres 1556 – Ulms Armbrustschützen hatten zum Preisschießen geladen – an der kleinen Donau die Reisewagen in scheinbar endlosen Reihen zusammenschoben, manch vornehme Karosse darunter, fehlte auch der Barde Flexel nicht. Kaum hatte er sein Dichterstübchen im Schützenhaus bezogen, begann er gleich, im fröhlichen Ton, ganz der Signatur der Zeit gemäß, Verse zu schmieden:

> Von schenem luft muß ich euch sagen
> viel weisser zelt het man aufgschlagen
> nit luftiger het mans kennen erwellen...
> Da ich die zelt thet alsand zellen,
> der wassent all in ayner Sumen
> drei und zwanzig, hab ich vernumen.

Flexel markierte jedes Fleckchen mit den Duftnoten seiner Poesie. Sein Füllhorn literarischer Juwelen schüttete er sogar im Keller des Schießhauses aus:

> Der was versehen mit aller not
> daryn do schankt man wein und prot.
> Dann sach ich mich gar oben umb
> damit ich an die Kuchel kumb.
> Die staynd heraus an offner sunen
> nit weit von ainem schenen prunen.
> Darin thet man sieden und praten.
> Wolt ayner essen, sas er an disch,
> man drueg im her wilbret und fisch,
> der koch thet niemants da vergessen.
> Umbs geld gab er aym jeglichen zessen.

Während des mehrtägigen Wettbewerbs der über 300 Schützen – aus der „loblichen aignosschaft" waren 36 Jünger Wilhelm Tells angereist – sah man Reim-Rastelli Flexel auf der „richtstatt" als Pritschenmeister fungieren. Wenn einer sein Ziel verfehlte und neben eine der schwebenden Scheiben schoß, überschüttete ihn Flexel mit Spottversen und haute ihm mit der Pritsche „ayns füer kerben (= Gesäßspalte)". Spaß muß sein. Um olympische Verbissenheit in den Schießständen nicht aufkommen zu lassen, ließen sich die Ulmer einiges einfallen:

> Ain alts Weib liesans malen und machen,
> pulffermacherin ist sy genand,
> dieselbig ist mir gar wol bekand...
> Sy staind in ainem schwarzen rock
> und was geheft an aynen stock:
> wann sy ain schitz thet hynden dreffen
> So thets die leitt beim stand fast effen.
> Sy kert sy umb und satzt ain bamb,
> und zaigt den schitzen den hindern nan.

Der große Gewinner des Ulmer Freischießens war der Augsburger Moritz Mamadorfer. 16 Meisterschüsse brachten ihm 50 Gulden in einem schwarz-weißen Ledersäckchen ein, dazu (ebenfalls in den Ulmer Stadtfarben) eine Fahne, die ein einköpfiger schwarzer Reichsadler auf goldenem Schild zierte. So nach und nach fielen die Armbrustschützen, diese amüsante Quaste am Purpurmantel der Stadt Ulm, dem Mottenfraß der Zeit zum Opfer. 100 Jahre nach dem von Lienhart Flexel besungenen Ereignis war vom Schießhaus der Unteren Schützen nichts mehr zu sehen. Das modernere Feuerrohr hatte sie verdrängt, die Waffe der bürgerlichen Schützenbrudergesellschaft, der sogenannten „Herrenschützen". Sie verschossen ihr Pulver da, wo heute die ABC-Schützen der Neu-Ulmer Weststadt Mitlautverdopplung und Einmaleins pauken: im Schützengries, Ecke Schützenstraße/Ringstraße. Rechte Frohnaturen, nannten sie neben Graben und Schießmauer auch ein bewirtschaftetes Vereinsheim ihr eigen: einen stattlichen, zweigeschossigen Fachwerkbau, der schon im Jahr 1518 Erwähnung fand. Das Schießhaus bot stets Abwechslung und Ablenkung, manchmal der unverhofften Art. Hin und wieder zielte zügelloses Kriegsvolk auf Fenster, zertrümmerte die kunstvoll bemalten Zielscheiben, knickte die Schießeisen und legte Feuer in den Hütten.

Ab 1540 wurde auf dem blumendurchwebten Wiesenteppich um das Schießhaus – übrigens bis 1939 – das Ulmer Maienkinderfest gefeiert. Offensichtlich mit großem Behagen hatte sich so um 1800 ein Liebling der Musen in das Spalier der Festgäste gemischt:

Und d'Schuala sind ällig am Kinder-Berg[1)]
– die Büeble als Handwerker kloidt –
rumzoge mit Musik und Moiebäum
und Kindsmägd sind gange im Gloit.

Im Schießhaus – für d'Mäga der Schopperplatz –
dau hat ma drauf laus gschnabeliert
und geiget und ghopset, mit Wein und Würst
und Äpfelschniz Gurgle brav gschmiert.

Die wohlkloidte Kindle vom Fundelhaus[2)],
schöa gwäsche und d'Haur fürrekämmt,
die hand dau heargsunge wie d'Vögele,
hend goistliche Lieder angstimmt.

[1)] Kinderfest, [2)] Waisenhaus

Viel öfter freilich erzitterten die Mauern des Schießhauses vom rauhen Gesang soldatischer Lieder. 1649 richtete der schwedische General Douglas, vom Rückzug feindlicher Truppen milde gestimmt, ein Freischießen mit Pirschbüchsen aus, dessen Sieger ein vergoldeter Silberpokal winkte. Am 28. Januar 1679 war das Schützenhaus Ziel einer Lustpartie mit 13 Schlitten, besetzt mit vornehmen Kavalieren, die der kaiserliche Feldherr Herzog Karl von Lothringen mit seiner Gemahlin, der Königin Eleonora von Polen, auf Einladung des Rates der freien Reichsstadt von Günzburg aus unternahm. Nach einem opulenten Mahl überreichten Ulmer Deputierte der Königin der Polen ein vergoldetes Silberlavoir, ein Stück feine Leinwand, und Wein und „Haber".

Das Schießhaus, wie es vor der Zerstörung 1944/45 aussah:

Um den Anmarschweg für das Publikum nicht allzu schweißtreibend werden zu lassen, wurde 1743 eine schattenspendende Lindenallee vom Schießhaus bis zum Warmen Wässerle angelegt, die 1787 bis zum Herdbruckertor durch eine Pappelallee erweitert wurde. Außerdem taten die Wirte das Ihrige, Gäste anzulocken. Im Mai 1764 gab Eitel Habvast, der damalige Pächter, im „Ulmischen Wöchentlichen Anzeiger" folgendes bekannt:

Einem geehrten Pupliko verirt hierdurch Ends-Unterzogener, daß Er auf den 4. nächstkommenden Monaths Juni denen Liebhabern einen gemästeten 3jährigen Stier, mit 2 Ulmergulden behängt, und mit Bändern gezieret, zum Ausschießen geben werde. Worinn das Legegeld bestehen, und wie die übrige Einrichtung gemacht worden, solches wird aus dem erlassenen schriftlichen Invitations-Schreiben des Mehreren zu ersehen seyn. Hinter der Stehscheibe befindet sich ein Machine, welche demjenigen, so ins Schwartze geschossen, durch eine in die Höhe steigende Figur solches sogleich anzeiget.
Joh. Eitel Habvast, Wirth im Schießhaus

Als das Haus 1771 für 5100 Gulden in private Hand überging, war aus ihm ein richtiger Vergnügungspark geworden mit unterem und oberem Tanzboden, Viehstallung, Branntweinbrennerhäuschen, Backhaus, zwei Kegelbahnen, einem Baum- und Wirtschaftsgarten und einem Weidegang. Dekorative Sommergäste blieben nicht aus. In einem großen, im Freien errichteten Saal vor dem Schießhause trafen sich am 1. August 1806 französische Offiziere, um mit den Honoratioren der Stadt Ulm Kaiser Bonapartes Geburtstag zu feiern.

Bald schon wurde der Juchtenledergestank der Militärstiefel abgelöst vom Veilchenduft der Biedermeiersträußchen. Herausgeputzte Wunder von Damen und Herren mit Stahlstich-Kopf und leicht vergilbtem Wachsteint gaben sich im

ein schlichter Barockbau mit Musikpavillon und Gartenwirtschaft

Schießhaus ein Stelldichein, unter ihnen Kanzleirat Schlotterbeck aus Ulm. Ein Gelegenheitsdichter, ersann er, zur Freude und Aufmunterung seiner Leser, „Sommervogel's Wochenzettel“. Seine Empfehlung für Donnerstag:

Der Donnerstag will keine Pause.
Erst ziel ich nach dem Schützenhause.
Sieh aber pünctlich nach der Uhr,
Denn in der Au ist kleine Cour.

Das Schießhaus war ein rechtes Asyl für Menschen, die die Zeit totschlagen mußten, um von ihr nicht totgeschlagen zu werden. Für Attraktionen war gesorgt. Anläßlich einer Tanzmusik im Jahr 1832 tauchte im Saal ein Mädchen auf mit einer Taille, die alle anwesenden Vollbärte vor Erregung vibrieren ließ. Ein paar Schritte, dann sank die Schöne in Ohnmacht. Sie hatte sich so heftig geschnürt, daß ihr die Luft wegblieb. Sie blieb auch den Kavalieren weg, die die malerisch Hingesunkene gleich ins Freie trugen, um ihr frischen Wind um Nase und Brust zu fächeln. Die Retter mußten – drinnen im Saal reckten die Frauen beschwörend ihre Lorgnons zur Stuckdecke – fünf Unterröcke durchschneiden, bis sie zum Schnürleibchen vorstießen. Doch vergessen wir Gefühlsverwirrung und Seelenkämpfe gleich wieder und schauen noch rasch bei einem sogenannten „Strickfest“ im Schießhaus vorbei! „Wie erstaunte ich“, wunderte sich vor 150 Jahren ein Festbesucher, „als ich in den Saal eintrat, der einem Arbeitshause ähnlicher zu sein schien als einem Ort der Conversation. Dadurch betroffen, warf ich mir selbst die Frage auf, ob sich wohl unsere Damen zu Hause erholen und dafür im Schießhause arbeiten.“

1844 spannten die Oberen Schützen zum letzten Mal die Hähne ihrer Gewehre. Ulm und Neu-Ulm wurden zur Bundesfestung ausgebaut; im Schießhaus durfte nicht länger geschossen werden.

Zu Standkonzerten, Faschingsfesten, Vereinsfeiern, Tagungen und Dämmerschoppen kamen jetzt immer mehr Neu-Ulmer. Eines Tages suchte ein Herr mit einem ins Rundliche spielenden Gesicht, schwarzem „Cylinderhut“, altmodischer goldener Brille und feinem Stöckchen, dessen Griff ein metallenes Tierbild darstellte, einen Fensterplatz. Das Ulmer Münster, der „Koloß, der so tyrannisch alles um sich verkleinert“, hatte sein emotionales Gleichgewicht etwas ins Wanken geraten lassen. Sonst zum Heiteren und Schelmischen geneigt, wirkte er daher etwas bedrückt. Daß seine Familie einmal in der bayerischen Grenzstadt Wurzeln schlagen würde, davon ahnte der Gast, ein gewisser Eduard Mörike, noch nichts. Tochter Fanny heiratete nämlich den Neu-Ulmer Uhrmachermeister Hildenbrand aus der Augsburger Straße 6. Zu ihrem 8. Geburtstag hatte ihr der zärtliche Vater folgendes Gedichtchen ins Stammbuch geschrieben:

Franziska heiß ich,
Noch nicht viel weiß ich,
Doch werde ich fleißig
Von heute an sein.
Denn ich betrachte,
Daß ich das achte
Jahr schon vollbrachte.
Das heizt mir ein.

Bei der Hochzeitstafel blieb der Platz des Vaters leer. Am 6. Juni 1875 wurde der Dichter auf dem Stuttgarter Pragfriedhof zu Grabe getragen. 13 Jahre nach dem Tod Eduard Mörikes, im Jahr 1888, zog seine Frau Margarethe zu Tochter und Schwiegersohn nach Neu-Ulm. Obwohl Gattin eines protestantischen Pfarrers war sie stets fromme Katholikin geblieben. Sie lebte sehr zurückgezogen. 85jährig starb sie am 8. Januar 1903 in der Blumenstraße 4. Ihr Grab auf dem Neu-Ulmer Friedhof trägt die Inschrift:

„Hier ruht Margarethe Mörike, geb. von Speeth, 1818–1903“

Neu-Ulm hatte kaum von ihr Notiz genommen. Die Stadt blickte in die Zukunft. Ihr scheinbar unaufhaltsamer Aufstieg brachte den Bürgern einen Zugewinn an Ansehen, den sie gebührend feierten. Das Schießhaus, seit 1893 in städtischem Besitz, gab die Bühne für die vielen illustren Feste ab, zu denen der einheimische Geldadel bald nicht mehr zu Fuß, sondern mit dem Automobil kam. Das erste hoppelte 1907 über die Straßen; an seinem Steuer saß der Architekt Friedrich („Autofritze“) Schäfer. Doch bald lohnte es sich kaum, die PS-Schaukel aus der Garage zu holen oder „per pedes“ zum Schießhaus zu gehen. Dem Brot, das man sich in die Kriegssuppe des Jahres 1914 einbrockte, waren die Kartoffeln beigemischt. Im April 1915 wurden fleischlose Tage eingeführt, ab Mai 1917 war das Kuchenbacken verboten. Wer damals Goldstücke besaß, legte sie auf die hohe Kante.

Der Zweite Weltkrieg gab dem Schießhaus vollends den Rest. Als am 1. März 1945 kurz nach 13 Uhr 20000 Bomben auf die Stadt hagelten, schlugen bald Flammen aus Dach und Fenstern des historischen Gebäudes. Aus dem ältesten Bauwerk Neu-Ulms wurde eine Ruine. □

Der Kunst- und Antiquitätensammler: Friedrich Geiger

Kunstpilger, entdeckst Du auf Streifzügen durch Museen und Galerien Ölbilder, Kupferstiche, Holzschnitte, Lithographien, Renaissancemöbel, Porzellan, Fayencen, Zinn, Schmuck, Münzen, Bücherkonvolute oder Waffen aus der Sammlung des Neu-Ulmer Bürgers Friedrich Geiger, sage uns, wo Du sie hast liegen gesehen. Erst dann nämlich sind präzisere Auskünfte über jenen Mann und sein Museum möglich, das einst – schenkt man Pressenotizen Glauben – Besucher aus dem In- und Ausland nach Neu-Ulm lockte. 1840 in Esslingen geboren, kam Friedrich Geiger, Absolvent der bayerischen Artillerie- und Genieschule, als Festungsbauer im Rang eines Hauptmanns in die bayerische Grenzstadt. Ein Sturz vom Pferd mußte ihn früh den Dienst bei der Genietruppe quittieren und nach einer anderen Melodie für sein Leben Ausschau halten lassen. Der Tod seiner Ulmer Tante Felicitas Ziegler tat ihm eine neue Rennbahn auf. Mehr aus Pietät als aus Liebhaberei ersteigerte er 1876 aus ihrem Nachlaß 25 Gemälde und holte sich dabei eine unheilbare Krankheit: die Sammelleidenschaft, die ihn gleich in Privatgalerien des in Neu-Ulm seßhaften Gustav von Besserer-Thalfingen oder des Fräuleins von Seuter-Lötzen auf neue Beutezüge gehen ließ. Die Jagd in Kunstrevieren wurde bald zur Obsession. Der Hauptmann hatte seine Nase nicht nur in den Birnbaumschubladen aller Ulmer Antiquitätenhändler, er schnüffelte auch unter ländlichen Dachfirsten: ein Sperrmüllhai der gehobenen Klasse. Dabei hatte er sehr schnell begriffen, wie gut sich Kunst und Basar zusammenreimen. Als am 11. Juni 1889 Schloßmobiliar und einige Kunstschätze aus der Reuttier Kirche unter den Hammer kamen, ergatterte Geiger vier Epitaphien, ließ sie restaurieren und verkaufte sie an den Großherzoglich Badischen Kammerherrn und General-Landesarchivdirektor a. D. Freiherr Roth von Schreckenstein. Das Geschäft mit der Kunst erhielt dem Staat des Offiziers Ruhegelddasein bis in das hohe Alter von 89 Jahren. Geiger starb am 25. Februar 1930 in Neu-Ulm.

Sein Haus in der Augsburger Straße 41 war bis unters Dach mit Kunstschätzen gefüllt: eine kunsthistorische Gemischtwarenhandlung von Museumsrang. „Geradezu weltberühmt", so der Historische Verein in dem Nachruf auf sein Ehrenmitglied, war des Hauptmanns Schlüssel-, Schlösser- und Beschlägesammlung, die heute zu den besonderen Nennenswürdigkeiten des Heimatmuseums in der Hermann-Köhl-Straße gehört. Mit seinem einzigartigen Wissen auf diesem Gebiet nicht hinter dem Berg haltend, schrieb Geiger im Vorwort seines Sammlungskatalogs: „Da sich in meiner Sammlung mehrere Schlösser und Schlüsselschilde mit Jahreszahlen befinden, ist es mir möglich, in den Grenzen von 20 bis 30 Jahren mit Sicherheit schon aus den Beschlägen auf die Zeit der Entstehung des Gebäudes oder der Möbel zu schließen." Seine Datierungskünste waren vielen Museumsdirektoren und Antiquitätenhändlern eine Reise in die Augsburger Straße wert. Aber auch der Neu-Ulmer und Ulmer Gesellschaft machte Friedrich Geiger sein Privatmuseum zugänglich. Nach seinem Tode verschwanden die Schätze aus Neu-Ulm, als hätten sie sich in Luft aufgelöst. Kenner wollen versprengte Teile im Ferdinandeum in Innsbruck gesichtet haben. Kunstpilger, entdeckst Du…

Eine Stippvisite im Heimatmuseum sowie einige Intima über das mittelalterliche Schwaighofen

Von zwei gallischen Helden, ihrem Impresario und einer verschwundenen Siedlung

Helden? Und aus Gallien? Da denkt jeder an jenen unscheinbaren Wicht mit strohfarbenem Schnauzbart und keltischem Flügelhelm auf dem Kopf, der – einem burlesken Epos zufolge – zusammen mit einem grobschlächtigen, am laufenden Band Wildschweine verzehrenden Hinkelsteinproduzenten ganze Kohorten römischer Legionäre erledigt. Doch nicht von männerbündischen Prügelorgien ist hier die Rede, sondern von den Herren Primus und Notus, zwei Töpfermeistern aus der Keramikfabrik La Graufensenque in Südgallien. Aufgespürt hat die beiden Meistertöpfer der gallo-römischen Antike eine junge Studentin, die gerade über ihrer Doktorarbeit brütete: Emma Pressmar, heute Fachheimatpflegerin für die Vor- und Frühgeschichte des Neu-Ulmer Raumes. Sie fand ihre Namen auf der Unterseite eines tönernen Tellers und einer Knicktasse, wie sie hierzulande vom Ende des 1. bis Anfang des 3. Jahrhunderts nach Christi Geburt in Gebrauch waren.

Die Produktivität von Primus und Notus stellt den oben erwähnten Menhirlieferanten aus der Einleitung dieses Kapitels in den Schatten: Pro Jahr verließen 300 000 Stück Terra-Sigillata-Geschirr die Fabrik in La Graufensenque. Bei Teller und Knicktasse handelt es sich allerdings um Einzelfunde aus der Produktion glänzend rot gefärbter Scherben. Ein römischer Gutshof stand jedenfalls am Fundort, einer Wiese neben dem Eulesweg in Finningen, nicht. Vielleicht prallte das Speditionsfahrzeug des Importeurs auf dem unter dem römischen Kaiser Vespasian gebauten Eulesweg, der renommierten „Donausüdstraße", auf einen Geisterfahrer? Vielleicht brach ein Rad entzwei? Immerhin fand man unter Wegrainunkräutern links und rechts des Euleswegs einige Radnabenstifte.

Wenn Regenwolken den Himmel über Neu-Ulm in ein trübes Grau verdunkeln, dann ist der Zeitpunkt gekommen, mit den Designern Primus und Notus Bekanntschaft zu machen. Gewöhnlich geht man zwar nicht gerne in Heimatmuseen, weil die volksliedhaft-trauliche Sentimentalität, mit der dort Heimat zelebriert wird, ein Greuel ist. Das Neu-Ulmer Heimatmuseum können Sie getrost besuchen. Sein Chef, Heimatpfleger Horst Gaiser, trägt schon dafür Sorge, daß sich nirgendwo die Patina nostalgischen Gefühlsrummels ansetzt oder sich der verklärende Schein schöner Dorfstunden einnistet. Quartier bezogen hat das Museum in dem 1902 in neubarocker Manier errichteten ehemaligen Rent- und Finanzamt in der Hermann-Köhl-Straße Nr. 12.

Doch bevor Sie die Stufen erklimmen, sollten Sie einen Blick über die Schulter auf die gegenüberliegende Straßenseite werfen. 1875 erbaut, ist das Haus Nr. 17 eines der schönsten noch erhaltenen Beispiele des Fassadenschmucks der 60er und 70er Jahre des vergangenen Jahrhunderts. Das Erdgeschoß schließt ein feingliedriger, zum Teil aus Terrakottaplatten gebildeter Ornamentfries ab. Über den Fenstern im ersten Stock, die eingerahmt sind von kannelierten Pilastern, thront ein mächtiger Gesimsblock.

Im Museum blicken 10 000 Jahre Geschichte des Neu-Ulmer Raums auf Sie herab. Eines seiner Prunkstücke ist die Rekonstruktion eines Töpferofens aus der Urnenfelderzeit, in dem vor rund 2800 Jahren Vorratsgefäße und Schrägrandschalen für die Festtafel gebrannt wurden. Gefunden hat ihn, den Kampf mit den Bulldozern der Autobahnbauer am Elchinger Kreuz mannhaft bestehend, Dr. Emma Pressmar, eine Art Impresario der Vor- und Frühgeschichte. Und was anno 1907 die zugeknöpften Mitglieder der Fine Art Society in London zu knöchernem Beifall hinriß, läßt das Herz eines jeden Museumsbesuchers höher schlagen: die Schlösser- und Beschlägesammlung von Friedrich Geiger, Absolvent der bayerischen Artillerie- und Genieschule in München und bis zu seinem Tod 1930 Ingenieur-Hauptmann in Neu-Ulm.

Ganz sicher hat Sie auch schon der Geist des Mittelalters an den Fußsohlen gekitzelt. Kein Wunder, denn im Juni 1955 stießen Kanalarbeiter ganz in der Nähe des Heimatmuseums auf zahlreiche Scherben mittelalterlicher Tongefäße. Ein Schuttabladeplatz der Reichsstädter? Reste von Bruchsteinmauern und Lehmstücke mit Abdrücken von Flechtwerkwänden legen eine andere Vermutung nahe: Die schwarz-graue Schicht, die Baggerzähne aus dem Untergrund bissen, war mittelalterlicher „Besiedlungsniederschlag". Das 1255 erstmals urkundlich erwähnte „Schweickhofen" (auch „Swaykhofen") war gefunden. Einst Weidegrund karolingischer Rinder, entwickelte es sich schnell zur ansehnlichen Marktgemeinde. Krambuden und Kneipen, Garküchen, Gemüsemärkte und Garnsiedereien kurbelten das Wirtschaftsleben an, und bald wurden die Fachwerkhäuser zu beiden Seiten der Hermann-Köhl-Straße von den Türmen zweier Kirchen überragt: St. Johann Evangelist und St. Antonius. Doch der Blütentraum vom Wirtschaftswunder währte in Schwaighofen nie lange. Immer wieder marschierten den Ulmern feindlich gesonnene Pensionsgäste ein (Kost und Logis frei, versteht sich) und ebneten, kurz bevor sie wieder ausmarschierten, den Vorort ein. Um 1377 ließ der Rat der Reichsstadt, Strategen wollen es manchmal so, die Siedlung kurzerhand abbrechen. Das ganze Dorf wurde abgetragen und auf dem Gries, einem noch immobilienlosen Areal innerhalb der Stadtmauern Ulms, wieder aufgebaut. „Daher rühren", so weiß der Dominikanermönch Felix Fabri zu berichten, „noch heute sehr viele sehr alte Häuser in Ulm von diesem Dorfe her, und der meiste Nachwuchs im gemeinen Volk stammt ursprünglich von diesem."

Für die beiden Kirchen war in der Reichsstadt kein Bedarf, hatte sie doch eben ihr Schwitzbad abreißen lassen und das angesehene Architekturbüro Parler mit dem Bau einer riesigen Hallenkirche, Münster genannt, beauftragt.

St. Johann und St. Antonius waren bald umzingelt von den Schrebergartenkolonien Ulmer Bürger. Wo einst Gastronomie und Gewerbe blühten, schossen Biogärten ins Kraut, in denen (neben Kraut und Rüben) Artischocken, der berühmte Ulmer „Karfiol" und der Spargel für den Versandhandel geerntet wurden. Da den Gärtnern die Müllabfuhr oblag, ist nicht auszuschließen, daß mancher reichsstädtische Kehricht auf dem rechten Donau-Ufer gelandet ist.

Daneben gab es auch öffentliches Grün, „fußläufig" erreichbar, wie es der „Amtshämorrhoidarius" heute definiert: den Gesellschaftsgarten mit klassizistisch eingekleidetem Gesellschaftshaus. Als die 1793 zu Ulm gegründete Gartengesellschaft das Gelände am Ende der Hermann-Köhl-Straße erwarb, hatten die 20 Mitglieder freilich weniger an eine Erschließung als Naherholungsgebiet gedacht. Sie wollten ganz einfach „ein freies Wort in Gottes freier Natur" sprechen. Es steht zu befürchten, daß sie ihr eigenes Wort nicht immer verstanden haben, denn Kegelbahn, Frühbeetkästen, Gewächshaus und Kaffeetafel ließen den Individualistentreff sehr schnell zur grenzenüberschreitenden Landesgartenschau mit „erholungsintensiver Nutzung" werden. Vom ersten bis zum letzten Sonnenstrahl lagerte man im Kreise der Lieben im duftigen Grase unter den Eichen oder im Wäldchen, stets der Gesellschafts- und Gartenordnung achtend, die „Frauenzimmern" auftrug, sich der zugestandenen Freiheit „ganz nach Discretion zu bedienen und niemals dem Garten zu viele und zu lästige Gesellschaft auf den Hals zu laden". Und inmitten von rosenumrankten Lauben und Platanen ein Fundstück aus Schwaighofen, dem Vorläufer Neu-Ulms: der spätgotische Taufstein von St. Johann, in dem jetzt Gartenblumen sprossen. Beim Bau des neuen Postamtes wurde in 1,20 Meter Tiefe außerdem eine mittelalterliche Bruchsteinmauer mit schlechtem Fundamentmörtel gefunden: kümmerliche Reste, die den Ulmer Bildersturm von 1533 überlebt haben. □

Verzierte Bronzearmringe aus Grabhügeln der Hallstattzeit

Henkelkrug aus dem Bandgräberfeld Thal (Urnenfelderzeit)

Bild links:
Schrankschloß mit zwei Fallen (französisch?) aus dem 18. Jahrhundert. Schloßblech und Decke aus Messing mit reichem ornamentalem und figuralem Schmuck.

Klappertonvogel aus einem Grabhügel bei Reutti (Hallstattzeit)

Bronzehelm eines römischen Legionärs (Fundort Burlafingen)

Hinter neubarocker Fassade verbergen sich die Schauräume des Heimatmuseums, das Werden und Wachsen Neu-Ulms mit Fotos, Bildern und Modellen dokumentiert. Zu seinen weiteren Schwerpunkten zählen Geologie und Prähistorie des „Ulmer Winkels" sowie eine einzigartige Schlüssel-, Schlösser- und Beschlägesammlung.

Ein Porträt des Neu-Ulmer Ozeanfliegers Hermann Köhl mit gesammelten Notizen aus dem Logbuch der abenteuerlichen Luftreise

Von sauren Kutteln und drei tollkühnen Männern in einer fliegenden Kiste

Zugegeben: die Hermann-Köhl-Straße lädt nicht gerade zum Flanieren ein. Sie gehört dem „motorisierten" Menschen. Sie als Treffpunkt für Bürger, als Bühne zurückgewinnen zu wollen, auf der die Fassaden der Häuser die gliedernden Kulissen und die Passanten die Darsteller sind, ist wohl ein hoffnungsloses Unterfangen.

Trotzdem möchte ich Sie noch eine kleine Weile am Rockärmel festhalten. Das Dessert ist noch nicht serviert: ein knusprig aufgebackenes Histörchen über „Three Musketeers of the Air", eine 1928 bei „The Knickerbocker Press" erschienene Geschichte, die uns der Neu-Ulmer Hermann Köhl eingebrockt hat, Ehrenbürger der Stadt und Namensgeber der Straße. Wenn Sie einverstanden sind, fliehen wir die Asphaltschneise mit ihren streng genormten Signalen, den Fahrtrichtungspfeilen (Hier geht's lang!) und Lichtzeichen (Halt! Los!) und frönen der reizvollsten aller schlechten Gewohnheiten: dem Wirtshausbesuch.

Wie wär's mit einem Teller saurer Kutteln? Etwas typisch Hiesiges. Immerhin heißt ein Münsterportal „Kutteltor", weil die Metzger einst ihre Verkaufsstände davor aufschlugen. In schlechteren Zeiten kamen Kutteln, vom Lexikon als „eßbares Rindsgekröse" in Mißkredit gebracht, zwei- oder sogar dreimal auf den Tisch: jener in dünne Streifen geschnittene und in saurer Soße weichgekochte „Kuh- oder Ochsenmagen Numero drei". Ein Nostalgie-Essen zu Preisen, die Sie anderswo dem befrackten Ober als Trinkgeld in die Tasche stecken. Und

eine gute Grundlage für die angekündigte Abenteuergeschichte von drei tollkühnen Männern in einer fliegenden Kiste.

Am besten, Sie legen Ihre Sonderschicht im Zuhören im holzgetäfelten Nebenzimmer des „Grünen Baums" oder im „Posthorn" ein, an dessen massiven Holztischen schon Peter Kreuder und Kammersängerin Erika Köth ihren Teller Kutteln auslöffelten. Auch Neu-Ulms Landrat Franz Josef Schick ist an Kuttel-Tagen schon öfters im „Posthorn" gesichtet worden.

Doch endlich zur Geschichte: „Herbststimmung, grau, düster, auf Seele und Gemüt schwer drückend, lag gestern über dem Rothtal, als sich Hunderte zu Fuß und per Auto auf den Weg nach Pfaffenhofen machten, um dem größten Sohn dieser Gemeinde das letzte Geleite zu geben. Der kühne Ozeanflieger, der schneidige Feldflieger und furchtlose Offizier des Weltkrieges, Hermann Köhl, ist – tot... Der Hauptmann ist zum letzten Start gen Walhalla aufgeflogen." So schoß am 12. Oktober 1938 ein journalistischer Kunstgewerbler seine Ehrensalven ab. Aus seinem Exil in Doorn in der Provinz Utrecht ließ Seine (abgehalfterte) Majestät der Kaiser Wilhelm II. seinem tapferen Frontsoldaten einen Kranz schicken. Die Kranzschleife der Deutschen Lufthansa war dem „Vorkämpfer des Deutschen Luftfahrtwesens" gewidmet. Selbst das Königlich Bayerische Kadettenkorps, das den Buntrock Hermann Köhl anno 1906 auf die Straße setzte, ließ einen Kranz flechten. „Mein erster Flug", witzelte seinerzeit der Ritter des Pour le mérite, die göttliche Vorsehung im Spiele wähnend.

Hermann Köhl, Ehrenbürger von New York und Neu-Ulm

Triumphzug durch die Fifth Avenue in New York

Hermann Köhl wurde am 15. April 1888 als zweites von acht Kindern einer Offiziersfamilie in Neu-Ulm geboren. Sein Vater stand damals auf der untersten Sprosse einer glanzvollen Offizierskarriere, an deren Ende die Nobilitierung durch den bayerischen König höchstselbst stand: Exzellenz Generalleutnant Wilhelm von Köhl.

Beim Vater hatte er es gesehen: Ein Offizier kommt leichter als ein Zivilist durch Wachposten und über bürokratische Hürden, er dominiert bei der Damenwahl, im Fechtsaal, auf dem Tennisplatz und beim Pferderennen. Mit dem Vater marschierte der Schulversager – im zweiten Gymnasialjahr in Ulm war Köhl der zweitletzte von 36 Pennälern – im Jahr 1907 als Fahnenjunker in die Kaserne des württembergischen Pionierbattaillons 13 in Ulm, 1914, auf eigenen Leutnantsbeinen stehend, ins Feld.

Die „Bremen“ beim Start in Baldonnel…

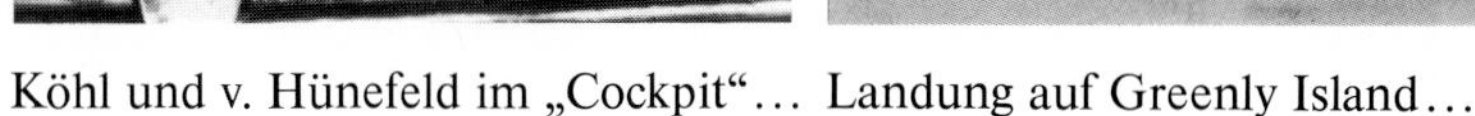

Köhl und v. Hünefeld im „Cockpit“… Landung auf Greenly Island…

Während eines Fronturlaubs im Sommer 1916 lernt er auf dem Flugplatz in Böblingen auf einer alten Eulerkiste das Fliegen. Bei seiner ersten Landung stellt er den Vogel auf den Kopf. Am 16. September 1919 sieht man den Kommandeur des Bombergeschwaders 7 mit einer zum Käppchen umfunktionierten Wickelgamasche auf dem Kopf in den Straßen Genfs herumirren. Er hatte sich, fast eine Köpenickiade mit umgekehrten Vorzeichen, aus einem französischen Kriegsgefangenenlager abgesetzt.

„Vier Jahre war ich glücklich als Soldat“, zieht Hermann Köhl in seinen Lebenserinnerungen Bilanz. Doch der Vertrag von Versailles nagte an seinem Selbstwertgefühl, verletzte seinen grimmig-eisernen Patriotismus. Im Schnürboden seiner Seele spukte alter Frontkämpfergeist: „Wir Kriegsflieger blieben sprungbereit, denn einmal mußte ja der Tag kommen, an dem die Nachtraben wieder aufsteigen zum nächtlich dunklen Himmel.“

Militärische Befehls- und Werthierarchie ist ihm in die Wolle gewirkt. Vom Frühjahr 1924 bis Herbst 25 ist Hermann Köhl Chef der 1. Kompanie des 5. Pionierbataillons in der „Friedenskaserne“ in Neu-Ulm. Ein Leckerbissen für Feinschmecker des Staatsrechts: Eine preußische Kompanie, die zu einem württembergischen Bataillon gehört, hat ihren Standort in Bayern. Während eines Urlaubs radelt er durch die mecklenburgische Seenplatte um für Nachtflugversuche der Firma Junkers Streckenlichter zu placieren und Notlandeplätze auszukundschaften. 1926 wird er, den Dienst bei der Truppe quittierend, Nachtflugleiter der gerade ein Jahr alten Deutschen Lufthansa.

Die Schreibtischarbeit zerfetzt sein Nervenkostüm. Es muß etwas passieren, was ihn mit historischem Hochgefühl erfüllt, ihn aus der Stagnation befreit, neues, höheres Leben erringen läßt. Ein Nonstopflug über den Ozean von Ost nach West ist für ihn ein Vorhaben, das ihm so etwas wie den Anbruch wilder Ferien verhieß. Ehrenfried Günther Freiherr v. Hünefeld, Angestellter des Norddeutschen Lloyd in Dessau und dilettierender Poet („Biblische Gestalten und Gesänge“) läßt sich für Köhls Pläne begeistern und investiert sein ganzes Privatvermögen in das Abenteuer. Für 80 000 Mark kauft er die auf den Namen „Bremen“ getaufte Junkers W 33, eine Langstreckenmaschine aus der Familie weltbekannter Junkersflugzeuge. Am Sonntag, den 14. August 1927, 17.20 Uhr hebt der Vogel von der 750 Meter langen Betonstartbahn in Dessau in Richtung Amerika ab. Nach 22½ stündigem Flug landet er wieder glatt auf dem Dessauer Flughafen. Dichte Nebelwolken über Schottland, Stürme und Regen zwangen das draufgängerische Duo, zu dem sich noch der Pilot Lose gesellt hatte, zur Umkehr. Am 26. März 1928 versteckt Köhl in Tempelhof den Baron an Bord der „Bremen“, schreibt „Probeflug nach Dessau“ ins Bordbuch der Flugwache und startet ein zweites Mal. Während sie über den Wolken dahinziehen, klingelt auf dem Flugplatz das Telefon: Die „Bremen“ ist beschlagnahmt. Doch in der Luft gibt es keine Schlagbäume. Köhl und v. Hünefeld nehmen Kurs auf den Flugplatz Baldonnel, 15 Kilometer südwestlich von Dublin. Die Direktion der Lufthansa entläßt ihren Nachtflugleiter fristlos.

Arbeitslos indes ist Köhl nicht. Zwei Lastwagenladungen Benzol müssen in dem 360-PS-Vogel verstaut werden. Um das Rüstgewicht möglichst niedrig zu halten, verzichtet er auf ein Funkgerät. Sogar Orangen und Bananen aus den Eßpaketen werden geschält. Das bringt ein ganzes Kilo mehr Betriebsstoff ein. Mit an Bord klettert Major James C. Fitzmaurice, der Kommandant der Irischen Luftflotte. Die „Bremen“ ist vier Tonnen schwer, als Hauptmann Köhl am 12. April um 5 Uhr früh den Propeller anwerfen läßt. Schwerfällig beginnt die Maschine zu rollen, der Auspufftopf glüht und spuckt Flammen, mit 120 Stundenkilometern rast die „Bremen“ auf einen mit hohen Bäumen beflanzten, vier Meter hohen Erdwall zu. Köhl drückt das Flugzeug an den Boden und zieht in der letzten Sekunde dicht vor dem Hindernis das Höhensteuer an. Das Fahrgestell streift durch die Baumkronen, der Vogel ist aber in der Luft.

Die ersten vier Stunden über der weiten Wasserwüste herrscht strahlender Sonnenschein. Dann steckt die Kiste mittendrin im undurchsichtigen, feuchten und salzigen Seenebel. Windböen packen die Maschine an, ein Orkan lauert und biegt die Flügel. Der Höhenmesser zeigt 50 Meter über Null. Durch die Zellonfenster sehen die Lufteroberer Wellenberge auf sich zurollen. Köhl hat fünfzehn Mark in der Hosentasche: „Wenn wir landen, reicht es aus; wenn wir absaufen, ist nicht viel kaputt.“ Mit Vollgas schießt die „Bremen“ über Schaumkronen hinweg in die Nacht. 7½ Stunden stockfinstere Nacht. Nur ein paar helle

Ehrensalut im Hafen von New York...

Frau Köhl küßt Jimmy Walker...

Die Ozeanflieger bei Wilhelm II. im Exil.

Striche: die radiumbeschrifteten Zifferblätter der Instrumente. Köhl und Fitzmaurice wechseln sich jede Stunde am Steuer ab. Im fahlen Morgenlicht schießt einer der Besatzung drei Leuchtkugeln ab: Tannenwälder. Die drei waghalsigen Männer schütteln sich die Hände.

Der Tag kommt. Ein in Eis und Schnee erstarrtes Land zieht unter dem Vogel dahin. Nirgendwo die Spur einer menschlichen Ansiedlung. Bergland. Schneegestöber. Packeis. Die Crew kämpft sich zwischen Bergspitzen hindurch. Da, im Nebel, die Spitze eines Leuchtturms. Die Benzinuhr fällt aus. Nach 36½ Stunden Flug erlahmt die Risikofreude. Köhl holt die „Bremen" aus dem Nebeldickicht herunter und setzt die Kiste auf einem kleinen zugefrorenen Weiher auf. Die Eisdecke bricht unter der schweren Last ein. Kopfstand. Zündung raus!

Köhl steigt als erster aus, wird vom Sturm huckepack genommen und gegen einen Felsen geschleudert. Hünefeld landet in dem bitterkalten Tümpel. Mit dicken Tauen zurren sie die Maschine an Felsen von Greenly Island, einer dem Festland von Labrador vorgelagerten kleinen, baumlosen Insel, fest, um gleich in todähnlichen Schlaf zu fallen. Leuchtturmwärter Letamplier schickt unterdessen Hundeschlitten mit der Landemeldung zur zwei Kilometer entfernten Telegraphenstation. Schon am nächsten Morgen hämmern Telegraphen der ganzen Welt Glückwünsche auf die weltentlegene Insel. „Ich habe es gewußt! Dein Peterle", gratuliert per Funk Köhls Frau Elfriede.

Neue Stürme brechen über die Ozeanbezwinger herein: Begeisterungsstürme. Jimmy Walker, Oberbürgermeister von New York, lädt die Bremen-Crew ein. Zweieinhalb Millionen Menschen jubeln ihr entgegen. Als wären sie vom Mond gefallen, will jeder mit den Helden der Luft auf Tuchfühlung gehen. Von den Wolkenkratzern regnet es Konfetti, Telegraphenbänder und zerfetzte Telefonbücher. 16000 Dollar kostet die Entfernung der Papierflut.

Auch in Europa sonnen sich die Mächtigen dann im Erfolg der tollkühnen Flieger. Köhl, v. Hünefeld und Fitzmaurice werden durch tausend Bankette geschleift und vom Hals bis zur Milz mit Orden behängt. Anstatt merkantilen Nutzen aus dem Unternehmen zu schlagen und in das „Kreidestimmengeheul" der reichsdeutschen Republikaner einzufallen, läßt sich das Trio vom säbelrasselnden Kaiser und Kriegsherrn von ehedem in seinem Exil in Doorn auf die Schultern klopfen und damit von den Nationalisten vor den Werbekarren spannen. Ein Redakteur der „Roten Fahne" findet den Rummel bald „zum Kotzen". Statt der Gratulanten stehen die Gläubiger vor der Tür. Die Zeit kostenloser Abendessen im Kreise honoriger Monokelträger ist vorbei. Köhl tingeltangelt durch Deutschland, um gegen Honorar aus dem Logbuch des Ozeanflugs zu plaudern. Während sich der Poet v. Hünefeld – „Wir wollen nur eins: wie im feldgrauen Kleid uns die Sonne der Zukunft erstreiten..." – daranmacht, Verse für ein Drama über König Saul zu schmieden, schmiedet der Hauptmann aus Neu-Ulm Pläne für einen ökonomisch sinnvollen Trans-Ozeanflug. Als einzig gangbarer Weg erscheint Köhl der Bau eines Nur-Flügel-Flugzeugs, des Fliegenden Flügels. Aus eigener Tasche finanziert er die Entwicklung dieses Vogels. Am Himmelfahrtstag 1931 zieht der Segelflieger Günter Groenhoff mit dem Prototyp die ersten Kreise.

Ein Gelegenheitsmaler und Wiener Stadtstreicher bremste Köhls Höhenflüge: In seinen „Pflanzgärten germanischen Bluts", die Adolf Hitler 1924 hemdsärmelig und mit Seppelhose im sonnigen zweifenstrigen Zimmer der Festung Landsberg ausgebrütet hatte, war kein Bedarf an fliegenden Flügeln. Dem von einer weitausgreifenden Lebensraumideologie schwadronierenden Diktator mußte des Hauptmanns Vorhaben als ein Stück unberechenbarer Narrheit erscheinen, kriegerischen Zielen eher abträglich.

Köhl zog sich in sein Haus in der Landkreisgemeinde Pfaffenhofen, dem Geburtsort seiner Mutter, zurück. Er träumte einen anderen Traum als das „erwachte" Deutschland. Hitlers Stellvertreter, Reichsminister Rudolf Heß, schickte zu seinem Begräbnis einen Kranz mit der Schleife: „Dem großen Helden und Bezwinger des Ozeans". 117 Jahre vor Köhls tollkühnem Unternehmen mußte in Ulm ein anderer Luftpionier seine Träume in den Rauchfang hängen: Albrecht Ludwig Berblinger, der „Schneider von Ulm". Bei seinem Versuch, mit dem von ihm erfundenen ersten halbstarren Hängegleiter der Welt von der Adlerbastei aus über die Donau nach Neu-Ulm hinüberzufliegen, stürzte er ins Wasser. Aber das ist eine andere Geschichte, für die Sie Ihre Portion saurer Kutteln mit Bratkartoffeln strecken müßten. □

Erker, Giebel, Ornamente: Architekturpartien von Häusern der Johannisstraße und Wilhelmstraße aus der Zeit um die Jahrhundertwende

Der Bildhauer und Maler: Edwin Scharff

Als er im Mai 1908 vor den Magnifizenzen der Münchener Kunstakademie die künstlerischen Erträge eines Reisestipendiums ausbreitete, herrschten sie ihn an: „Die 2400 Mark sind zum Fenster hinausgeschmissen. Mit diesen Arbeiten würden Sie heute nicht einmal zur Aufnahmeprüfung zugelassen."

Die Maler im Professorentalar sind unterdessen in den Depots der Galerien verschwunden, der Name ihres „Opfers" prangt in großen Buchstaben über dem Eingang eines Museums: Edwin Scharff, Bildhauer, Maler und Zeichner aus Neu-Ulm. Am 21. März 1887 erblickte er im alten Schulhaus an der Ludwigstraße 4 das Licht der Welt. Sein Vater, Stadtsekretär zu Neu-Ulm, bekleidete im Rathaus ein sehr einflußreiches Amt.

Der kleine Edwin begann seine Etüden künstlerischer Geläufigkeit schon in zartem Alter. Kaum daß er richtig sprechen konnte, verlangte er von seiner Mutter „Ababi" und „Bei", was, ins Schriftdeutsche übersetzt, soviel wie Papier und Bleistift heißt. Die mütterliche Entwicklungshilfe trug Früchte. Die Lust zu malen und zu zeichnen ließ den Sohn nicht mehr los und machte ihn immun gegen den Ansteckungsherd für Mittelmäßigkeit und lautlose Anpassung: die Schule. Seine Vaterstadt war ihm verhaßt, dieses „in den siebziger Jahren gebaute, elende Nest, in dessen Mitte eine riesige Kaserne wie ein fürchterliches Gefängnis liegt". Unter den Neu-Ulmern entdeckte er nur „Soldaten und Spießer". Ulm dagegen, wo er die Realschule besuchte, wirkte wie Balsam auf ihn: „Das Rathaus, schöne Bürgerhäuser, reizende Gassen, alte klotzige Türme

Bilder einer Ausstellung

Hockende Frauen, Bronze, 1949

Die Reiter, Bronzerelief, 1920

Kleine Sitzende, Bronze, 1914

oben: Die griechische Mondgöttin Selene, Bronzefigur auf bemalter Kalksteinsäule, 1947

unten: Marienthaler Kirchentüre, Zwanzig Bronzereliefs auf zwei Türflügeln, 1945–1949

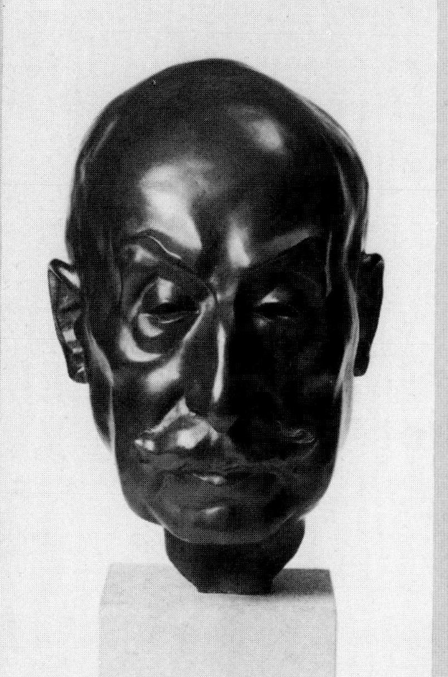

Bildnis des Malers Max Liebermann, Bronze, 1924

Sitzender Frauenakt, Aquarell und Bleistift, 1928

Der große Eindruck der Münchener Jahre ist Hans von Marées. Er, der 1887, in Scharffs Geburtsjahr also, gestorben ist, wurde sein eigentlicher Lehrer. Schloß Schleißheim, wo die von Konrad Fiedler dem Bayerischen Staat gestifteten Bilder Marées provisorisch untergebracht waren, bedeutete dem jungen Scharff mehr als die Akademie. In seinen Bildern fand er den Ausdruck des Klassischen in einer sehr speziellen Ausprägung mit Gestalten, die groß und ruhig in einem mythischen Raum stehen. 20jährig erhielt er den mit einem Reisestipendium verbundenen Rompreis. Das Unternehmen endete mit einem Fiasko (siehe erster Absatz); Scharff hatte aber neue Lehrmeister gefunden. In der Sixtinischen Kapelle sperrte er „einen Monat lang Maul und Augen auf". Er sieht in Orvieto das „Jüngste Gericht" von Signorelli, in Florenz die Mediceer-Gräber und die stilleren Skulpturen Donatellos. Im Prado kopiert er Velasquez. In Paris mischt er sich unter die Besucher der ersten Cézanne-Ausstellung. Seine Münchner Lehrmeister schrumpfen zur Unmaßgeblichkeit zusammen.

Edwin Scharff ließ den Akademiebetrieb hinter sich. Wieder in Paris, entstehen die ersten als gültig empfundenen Bildhauerarbeiten, die er sogleich bei Caspari in München ausstellte: stehende, sitzende, badende, schreitende Gestalten von klar gegliederter Architektur und rational kontrollierten Proportionen. Kennern gilt sein Frühwerk als der einzig wirkliche Beitrag der deutschen Plastik zum europäischen Kubismus. Scharff hatte Tritt gefaßt.

Im ersten Weltkrieg zerschmetterte ihm ein Gewehrschuß Schulter und Unterkiefer. Als in jeder Stadt, in jedem Kirchspiel zur Revolution geblasen wurde, plante der Bildhauer, im Lazarett „wiederhergestellt", zusammen mit Freunden eines Künstlerrates den Sturm auf die Akademie, was aber – so Scharff selber – „infolge der Hartnäckigkeit der dort maßgebenden Persönlichkeiten, die durch die ganzen Kitscher Münchens gestützt wurden, nicht gelang."

Angewidert von der konservativen Kunst aus Münchner Ateliers, ging er 1919 nach Berlin, wo ihn vier Jahre später der Architekt und Simplizissimus-Zeichner Bruno Paul als Professor der Bildhauerabteilung an die Hochschule für Bildende Kunst berief. Zusammen mit seiner Frau, der ungarndeutschen Schauspielerin Helene Ritschler, bewohnt er eine repräsentative Villa im Tiergarten-Viertel. Die Dienstmädchen sind schwarz gekleidet, die Diener stecken in Livreen, die Kellnerinnen servieren in langen Handschuhen. Auf des Professors etwas geckenhafte Kostümierung mit Melone, Gamaschen und gelbem Mantel anspielend, improvisiert ein respektloser Student zu einer Schlagermelodie: „Der Scharff mit seinem Gabardin". Und Bildhauer-Kollege Georg Kolbe, vom gefeierten Künstler einmal zum lukullischen Mahl eingeladen, macht sich unter Absingen eines bärbeißigen Kommentars in einer Freßpause aus dem Staub: „Ich werde mich doch nicht von einem jungen Mann, der Boden fassen will, wie von einem Großmeister empfangen lassen".

Es scheint ganz so, als wären die Berliner Tage mehr mit Hofhaltung als mit Steineklopfen und Modellieren ausgefüllt. Tucholsky, Grosz, Herwarth Walden, Remarque, Leonhard Frank, von Hülsenbeck, Pechstein und Flechtheim, aber auch hohe Beamte und bekannte Politiker tauchen in Scharffs Gästeliste auf. Versteht sich, daß bei so intensiver Kontaktpflege öffentliche Aufträge nicht ausbleiben. Der Künstler entwirft ein Beethoven- und Heinedenkmal, modelliert für das Reichstagsgebäude den Kopf des Präsidenten Hindenburg (wofür er das einmalig hohe Honorar von 20 000 Mark bekommen haben soll), schlüpft in die Rolle eines Designers für die Staatliche Porzellan-Manufaktur Berlin und gräbt Zeichnungen zu Shakespeares „Venus und Adonis" sowie Thomas Manns „Tristan" in den Radiergrund. Als Neu-Ulm am 4. November 1931 vom Bayerischen Staat die Nordostspitze der Donau-Insel, den Schwal, kaufte – bis zum Ende des Ersten Weltkrieges betrieb Seilermeister Albert Oechsle dort einen „Wäschetrocknungsplatz" –, erhielt Scharff den Auftrag, ein Ehrenmal für die Gefallenen zu errichten. Auf monumentale Wirkung bedacht, schichtete der Bildhauer Quader der abgebrochenen Festungsmauer zu einem vierkantigen, feingegliederten Turm aus Süßwasserkalksteinen, der auf allen Seiten von großfigurigen Flachreliefs geschmückt ist.

In seinem Atelier gelangte nur noch ein einziges weiteres Denkmal zur Ausführung: die aus Granit geschlagenen „Rossebändiger" in Düsseldorf, wohin er 1934 zog. 1937 wurde er von den nationalsozialistischen Kunstrichtern auf die Straße gesetzt und mit Arbeitsverbot belegt, arbeitete jedoch heimlich in der Sakristei einer ausgebombten Kirche weiter. 1946, die Propheten im eigenen Lande galten wieder etwas, wurde er an die Landeskunstschule Hamburg berufen.

Scharff blieb ganz der alte. Seine späteren Arbeiten sind von der gleichen bildnerischen Konzeption geprägt wie seine frühen. „Die Gestalten", so Gottfried Sello in seiner Monographie über den Bildhauer, „stehen gelassen und ungezwungen, ihre Haltung ist aufrecht und unbefangen: sie wissen sich allein, sie haben kein Gegenüber, von dem sie sich beobachtet glauben oder mit dem sie Zwiesprache halten. Sie sind mit nichts beschäftigt... Sie sind im Zustand der Ruhe." Die Sphäre der ruhenden Zeit, in der Einst und Jetzt vertauschbar werden, entdeckt Scharff vor allem in mythologischen und biblischen Themen. Mit dem Relief der Marienthaler Kirchentür (1945/49) hat er schließlich sein größtes Werk geschaffen: eine Darstellung des christlichen Glaubensbekenntnisses. Ein Abguß der Türe kann in dem Neu-Ulmer Museum ebenso bestaunt werden wie einige der Porträts, ein Thema, mit dem sich kaum einer der neueren Bildhauer so intensiv beschäftigt hat wie Scharff. Um das Einmalige, Unverwechselbare und Spezifische menschlicher Physiognomie zu offenbaren, änderte er sogar von einem Porträt zum anderen die technische Behandlung: große, klare Flächen bei Heinrich Mann; gemeißelte Grade und Kanten bei Liebermann; schwingend bewegte Formen bei Corinth.

Die letzten Jahre seines Lebens verbringt der Künstler teils in Hamburg, teils auf Sylt, wo er eines der schönsten Häuser sein eigen nennt. Ein unverwüstlicher Ästhet, hat er sich seinen Sarg selber entworfen: eine feingefugte Holzkiste. Am 18. Mai 1955 starb Edwin Scharff in Hamburg.

Angeregt von Oberbürgermeister Dr. Dietrich Lang, begann Neu-Ulm, das in Hamburg, Zürich, Stuttgart und anderswo zerstreute Werk seines berühmten Sohnes zusammenzukaufen, um es einst in einem Museum zu präsentieren. Mit dem Bau des Edwin-Scharff-Hauses konnte der Plan verwirklicht werden. In dem durch Nischen aufgelockerten, terrassenförmig zum Freien hin absteigenden Museumsraum machen plastische, malerische und zeichnerische Arbeiten deutlich, was Scharff unter Sinnlichkeit der Erscheinung und gewachsener Gestalt meinte. Im Depot schlummern noch 25 versiegelte Mappen mit je 300 bis 400 Zeichnungen, die Sohn Peter und Tochter Tetta der Stadt zur Inventarisierung übergaben. Edwin Scharff ist – für alle sichtbar – an den Ort seiner Herkunft zurückgekehrt: Auf einem hohen Brunnenpfeiler vor dem Rathaus schaffen seine „Drei Männer im Boot" einen gewaltigen plastischen Akzent: ein Symbol für den Zukunftsglauben der Stadt im Strom der Zeit; neben dem Rathauseingang ein Bronzerelief mit runden, weich ausklingenden Linien: Mutter, Kind und Lamm in zeitloser Idealität darstellend; vor dem 1983 eingeweihten Landratsamt an der Kantstraße als Geschenk der Stadt Neu-Ulm die aus ihrem Sockel herauswachsende „Hockende", umgeben von einem Hauch von Unbestimmtheit, hinter dem sie ihr Geheimnis bewahrt. □

Edwin Scharffs Mahnmal
für die Gefallenen
des Ersten Weltkriegs
auf dem Schwal

Wie eine Hand mit leicht gespreizten Fingern: Das Edwin-Scharff-Haus

Am 10. Juni 1977 öffnete es nach zweieinhalbjähriger Bauzeit als Vereinsheim und Hauptquartier der Städtischen Musikschule seine Pforten: das Edwin-Scharff-Haus. Blasmusik, Männerchor, Klavierschüler, Gebirgstrachtler, Balletteleven gruppierten sich um zwei nobel möblierte Säle, der größere davon mit 847 Sitzplätzen, einer 200 Quadratmeter großen Bühne – im Bedarfsfall mit Orchestergraben –, einer Simultandolmetscheranlage, einer Tonzentrale für Platten- und Bandaufnahmen, einem Projektionsraum für zwei Filmgeräte und Anschlüssen für 45 Mikrophone.

Doch was das Herz eines Elektroakustikers höher schlagen läßt, ließ Neu-Ulms Vereine kalt. Ebenso die Poularde au vinaigre, die Atlantik-Dorschbäckli oder die in Noilly Prat pochierten Rotzungenröllchen des Küchenchefs von Mövenpick. Die böse Fee, die sich an der Wiege des noblen Bürgerhauses ganz ungebeten zu Wort gemeldet hatte, schien fürs erste recht zu behalten. In seiner Monatsschrift prophezeite der Bund der Steuerzahler: „Das 17-Millionen-Mark-Wohnzimmer ist bald leer". Die gute Stube kostete 24,5 Millionen Mark und blieb nicht leer. Bevor der Chefkoch sich über die aus seiner Sicht etwas unterentwickelten kulinarischen Bedürfnisse der Schwaben an der Donau zu grämen begann und Neu-Ulms Stadtkämmerer Sorgenfalten bekam, stiegen die Programmplaner im Edwin-Scharff-Haus ins Kongreß- und Tagungsgeschäft ein. Vom Bund Deutscher Architekten unterdessen „als gestalteter Ausdruck einer selbstbewußten Bürgerschaft" mit einem Preis bedacht, findet das Edwin-Scharff-Haus immer mehr Zuspruch bei Planern von Tagungen, Seminaren und Kongressen. Nicht ganz unbeteiligt an dem Erfolg ist das 1980 eröffnete Mövenpick-Hotel mit seinen 215 Betten.

Hinten, fünf Gehminuten entfernt, Park, vorne der Blick über die Donau hinweg, über Festungsmauern und Giebel alter Fachwerkhäuser auf den höchsten Kirchturm der Welt: wer kann schon seinen Gästen mit Vergleichbarem aufwarten?

Unter Architekten wird das Edwin-Scharff-Haus in einem Atemzug mit Ingolstadts Theaterbau, jenem von Neidern als „Öloper" bezeichneten Schmuckstück an der Donaulände, und der Anton-Bruckner-Halle im österreichischen Linz genannt. Es ist die Visitenkarte des Münchner Architekten Bernhard von Busse. Das gedankliche Konzept, das bei Entwurf und Realisierung Pate stand, läßt sich mit dem Stichwort „organische Architektur" kennzeichnen: die Innengliederung ist an der Außengestaltung ablesbar, landschaftliche Umgebung und Baukörper „klingen zusammen".

Das Edwin-Scharff-Haus öffnet sich wie eine Hand mit leicht gespreizten Fingern zum Ufer hin. Was an Linienführung und Ebenen in der Umgebung bereits vorhanden war, Wasser, Böschung und Vorgelände, wiederholt sich, rhythmisch gesteigert, in dem freiplastischen Baukörper: Treppe, Terrasse, Foyer, großer Saal, Bühnenturm. Um das Zusammenspiel von Erdplastik und Architekturplastik noch zu unterstreichen, modellierte Bernhard von Busse westlich der von einer Kupferattika gekrönten Glasfront einen Erdwall, hinter dem sich ein kleines Freiluftmuseum mit Scharff-Skulpturen versteckt.

Die Absage an die schablonisierte Langeweile landläufiger Architektur zeigt sich auch im Design der Foyers und der beiden Säle. Natürliche Materialien dominieren: Sichtbeton, helle Esche, Fichte, afrikanischer Colorschiefer, an den Foyerdecken mit Rupfen überzogener Gipskarton.

Versteht sich, daß in diesem Ambiente einem Kongreß auch mal zum Tanzen zumute ist. Die Gefahr, daß das Edwin-Scharff-Haus zum Tagungszentrum ausgenüchtert wird, ist gering. Im Foyer halten hin und wieder die bildenden Künste Einzug: Neben Jahresausstellungen des Neu-Ulmer Kunstvereins waren auch schon die Arbeiten der Wiener Realisten Hundertwasser, Brauer, Hausner und Hodina zu sehen. Im Saal gibt's Operette, Musical, Kabarett und Komödie. Seit Oktober 1983 im Abonnement. □

Wenn an der Uferpromenade die Fahnen im Wind flattern, verlangsamt der Spaziergänger seine Schritte: Es könnte ihm ja ein Nobelpreisträger, ein Präsident, ein TV-Star, ein Heldentenor, ein Pianist oder ein Prinz aus Tausendundeiner Nacht über den Weg laufen. Im Edwin-Scharff-Haus ist immer Programm.

Wie eine monumentale Skulptur fügt sich das Edwin-Scharff-Haus in die Uferlandschaft an der Donau ein

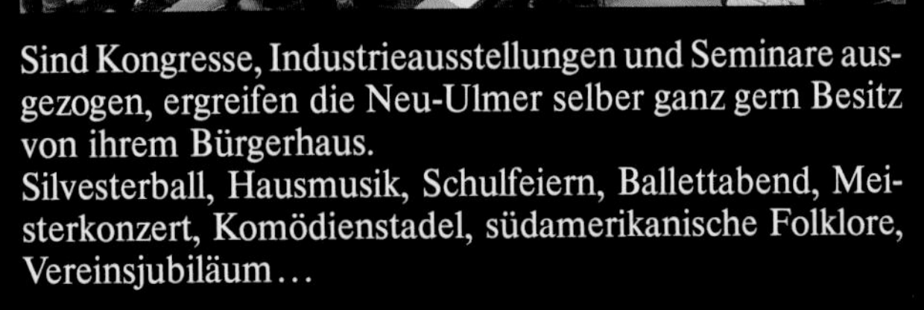

Sind Kongresse, Industrieausstellungen und Seminare ausgezogen, ergreifen die Neu-Ulmer selber ganz gern Besitz von ihrem Bürgerhaus.
Silvesterball, Hausmusik, Schulfeiern, Ballettabend, Meisterkonzert, Komödienstadel, südamerikanische Folklore, Vereinsjubiläum...

Lichterserenade

Was so alles von Neu-Ulm aus die Donau hinunterfloß

Von Schnecken, Kraftlackeln und Majestäten

Blick auf Schwal, Herdbrücke und Dreifaltigkeitskirche um 1803. Kolorierte Radierung von Johannes Hans

Am wasserfarbenblauen Himmel stehen völlig bewegungslos bauschige Wolkenschiffe, als wären sie über der ehemaligen Reichsstadt Ulm vor Anker gegangen. Bleiben wir also ein bißchen an der Donau! Auf den Bänken am Uferweg sonnen Rentner und Pensionäre ihre arthritischen Knie. Vielleicht finden wir für eine kleine Verschnaufpause ein freies Plätzchen. Ihr Sitznachbar brennt schon darauf, uns ein kleines Privatkolloquium im Fach Historie zu erteilen.

Jeder Quadratzentimeter ist hier nämlich von Geschichte durchtränkt. Das rechte Donau-Ufer diente einst als Sammelplatz kriegerischer Haufen. So etwa für die Schlacht gegen die Ungarn auf dem Lechfeld anno 955.

1664 wurden 2500 Recken hier zusammengetrommelt, um gegen die Krieger Mohammeds, die Türken, ins Feld zu ziehen. 1683 eilte von hier aus ein schwäbisches Entsatzheer zu Schiff der bedrängten Kaiserstadt Wien zu Hilfe.

So eine Floßfahrt war natürlich viel bequemer als die Reise mit der Postkutsche oder dem Ochsenkarren. Und sie ging schneller, ohne daß das Vergnügen zu kurz gekommen wäre, wie ein Sprüchlein auf der Zunfttafel der Schiffmeister verrät:

> Ich führte mein Schifflein mit kundiger Hand
> nach Wien und hinunter ins Ungarland,
> auch liebt ich die Jagd und die Mägdelein,
> sonst würd' ich kein wackerer Schiffer sein.

Als Verkehrsmittel dienten Zillen, auch „Plätten" genannt, von Neidern aufgrund ihrer eigentümlichen Form auch als „Ulmer Schachteln" verspottet.

Sie wurden ab etwa 1570 von Schiffsbauern der Ulmer Fischerzunft auf Neu-Ulmer Grund und Boden hergestellt. Einer von ihnen hat aus seiner Werkstatt auf dem sogenannten „Schopperplatz" gegenüber der Ulmer Stadtmauer eine Wagnerei gemacht, die sich im Wandel der Jahre zu einem international renommierten Autobuswerk entwickelte. Es ist jetzt bald 100 Jahre her, seit die letzte Zille vom Neu-Ulmer Ufer aus ihre Dienstreise nach Wien antrat.

Etwas Wehmut mischt sich in den Spruch von Erhard Hailbronner, dem letzten Schiffsmeister:

> Als letzter Meister schließ ich die Reih',
> denn mit der Schiffahrt ist's vorbei.
> Hinunter nach dem schönen Wien
> ließ ich die letzte Zille ziehn.

Unglaublich, was alles von hier aus in die Donaumonarchie geschleppt worden war. Das Frachtgut reichte vom Barchent, jenem Gemisch aus heimischer Leinwand und über Venedig importierter Baumwolle, über Pfeifenköpfe und Spielkarten bis zu Schnecken, die zur Fastenzeit als Delikatesse auf den Barocktischen hochmögender Wiener landeten. Wetten, daß Schnecken bärenstark sind? So um Allerheiligen wurden die Tierchen der artenreichen Familie der

Heliziden in den Schneckengärten rund um Ulm – oft kamen sie sogar bis aus Vorarlberg – gesammelt und in Fässern zusammengepfercht. Brannte die Sonne auf die Lagerstätten an der Donau, hielt es die Leckerbissen nicht länger in ihren Schalen. Sie krochen hervor und sprengten mit ihrer Muskelkraft die Fässer. Sogar die feste Grundlage für modernen Großstadtverkehr in Wien und Budapest wurden auf schwankenden Schachteln von Neu-Ulm aus transportiert: der Asphalt aus dem französischen Jura.

Hätten wir am 19. Oktober 1745 früh um 7 Uhr hier gesessen, wären wir Zeugen eines Jahrtausendereignisses geworden: Franz I. und die hochschwangere Maria Theresia traten vom Schwal aus nach der Kaiserkrönung in Frankfurt mit dem gesamten Hofstaat die Rückreise nach Wien an. Viel Volk war versammelt, von allen Türmen Ulms läuteten die Glocken, 100 Kanonen auf den Wällen schossen eine dreifache Salve, als die Flotte mit 34 Zillen ablegte. Schon 9 Tage später konnte Österreichs Metropole die Majestäten empfangen.

Maria Theresia war es auch, später dann Joseph II., die unternehmungslustige Handwerker und Bauern aus dem Schwabenland in die entvölkerten ungarischen Gebiete rief, um sie mit Einwanderer-Dörfern zu „peuplieren". In drei großen Zügen gingen sie zu Tausenden aufs Schiff, von bedrückenden wirtschaftlichen und sozialen Verhältnissen hierzulande in die Flucht geschlagen.

80jährige Promenadenplauderer werden es sich nicht nehmen lassen, uns von einer ganz besonderen Spezies der Flußfahrer zu erzählen: von den Flößern. „Grob wie ein Floßer", so charakterisiert ein Sprichwort indirekt jene athletischen, robusten, mit Hackel und Seil bewaffneten Kraftlackel, die alljährlich bis 1918 Käse und Holz aus dem Allgäu illerabwärts in das Donautal flößten. 7 Stunden dauerte die abenteuerliche Wellenfahrt von Kempten bis Ulm, bei Hochwasser nur 3. Mit ihren hohen Stiefeln und dem großen, schwarzen Hut waren sie an Land nicht zu übersehen. Hatten sie ihr Holz auf dem Markt an den Mann gebracht, wurde ordentlich gezecht. Ihre Trinkfestigkeit war legendär:

Drei Doppelliter darf ich sagen füllen erst den Flößermagen.

Wer weiß, wieviel Henkelvasen voll Gerstensaft jener Wellenreiter geleert hatte, gegen den am 5. Juni 1867 ein Redakteur der Augsburger Postzeitung Attacke ritt. Mit seiner Axt auf dem Rücken hatte der Flößer nämlich im Wartesaal zweiter Klasse im Neu-Ulmer Bahnhof einer Dame das Gesicht zerschnitten. „Ein wenig mehr Rücksicht", formulierte der Schreiber vorsichtig, „sollte das reisende und zahlende Publikum, dessen Ansprüche nur bescheiden sind, doch immerhin verdienen."

Wer da auf wen Rücksicht nehmen muß, machte der 1835 in Kempten geborene Ludwig Kienle, Wirt im Neu-Ulmer „Schiff", selber ein Flößer und ein rechter Maulheld dazu, klar: „Soll oiner zu mir herkomma, i fürcht koin, i fürcht mi it für tausend Gulda." □

Sammeln und Einschiffen schwäbischer Truppen gegen die Türken 1684

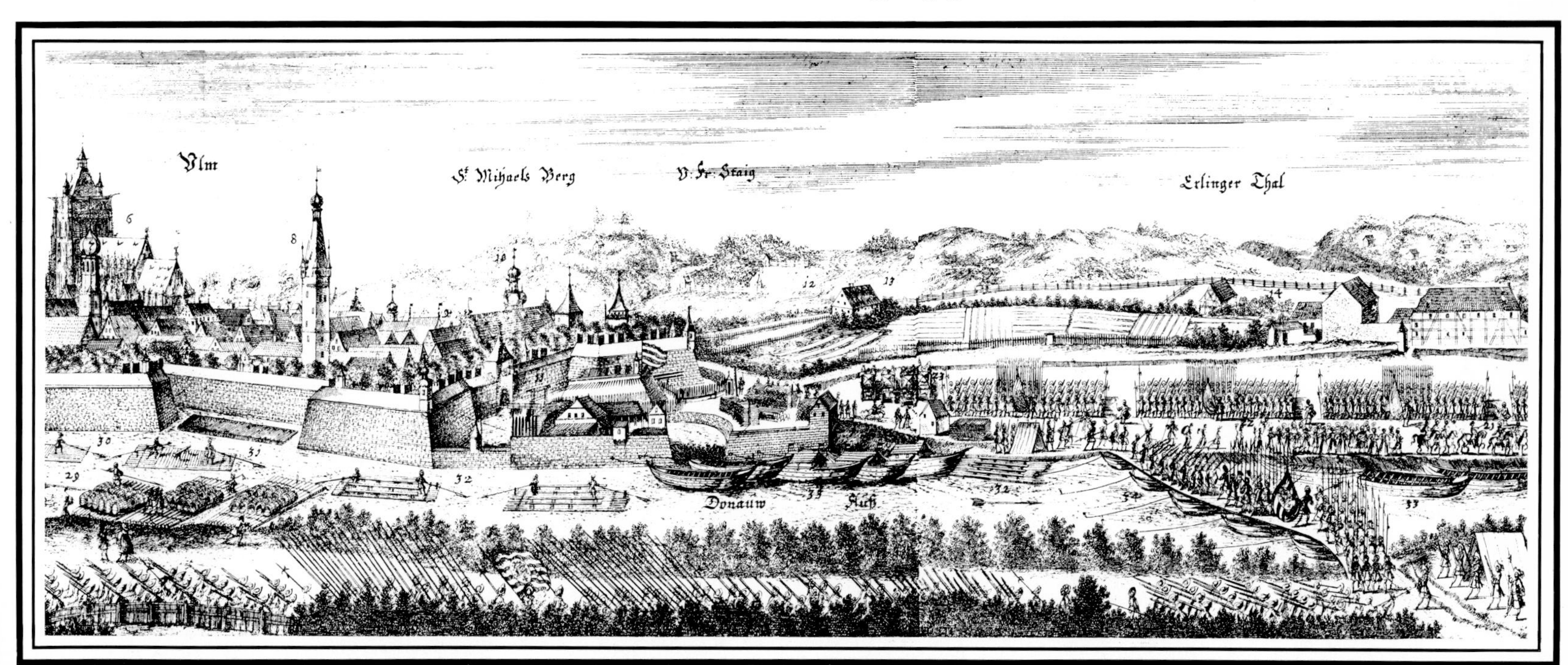

ULMER

Wie in einem Film zieht das übermütige Flußgottgefolge beim „Nabada“ am Neu-Ulmer Ufer vorbei

Nur wenige Gehminuten vom Donau-Ufer entfernt:
das Glacis, ein Freilichtmuseum des Festungsbaus

Gartenzimmer der Stadt: das Glacis

Aus der Festung wurde ein Gartenzimmer: Oberbürgermeister Dr. Peter Biebl eröffnet im Mai 1980 die Landesgartenschau. Links hinter ihm der ab März 1984 amtierende Ulmer Oberbürgermeister Ernst Ludwig.

Im Glacis gehorcht die Natur seit eh und je geometrisch gezügelten Plänen. Doch nie vorher durfte sie so schön aufblühen, wie seit 1980, dem Jahr, in dem die beiden Donaustädte Ulm und Neu-Ulm die „Erste Landesgartenschau Baden-Württemberg/Bayern“ ausrichteten. Unter dem Kommando der Leonberger Landschaftsarchitekten Eppinger und Schmid wurden die Festungsanlagen in ein Gartenzimmer verwandelt.

Im Glacis-Stadtpark macht unterdessen ganz Neu-Ulm Pause. Das Freilichtmuseum des Festungsbaus bietet Freiräume für alle möglichen Aktivitäten: vom Aquarellieren und Botanisieren bis zum Wassertreten und Würstchengrillen. Beschaulichere Naturen ziehen es vielleicht vor, auf bekiesten Spazierwegen die Wälle zu erklimmen oder auf lauschigem Sitzplatz inmitten eines Rhododendronhains, aus dem rot, orange und gelb die Azaleen leuchten, das Forellenquintett vor sich hin zu trällern. Der Sommerblumenfreund kann sich an Salvien, Parklevkojen, Leberbalsam, Elfenspiegel und Husarenkopf in streng geometrisch angeordneten Blumenbeeten sattsehen.

An Sommerabenden und Sonntagvormittagen sind auf der Veranstaltungsinsel vor der Caponniere Musikanten aus allen Teilen der Stadt zu Gast, um das Grün mit Chorgesang, barockem Flötenspiel, swingenden Bluesrhythmen oder fröhlich schmetternder Blasmusik zu garnieren. Nichts mehr erinnert an die Festung. Auch wenn die Drummer der Rockbands manchmal Granateinschläge zu intonieren scheinen.

Gartenfest für Zehntausende: Landesgartenschau im Glacis

Mit diesen Kanonen läßt es sich allenfalls auf Spatzen schießen. Nicht lange nach dem Auszug der Firma „Angst & Bange“ aus dem Festungsgemäuer im Glacis wurde das Gelände von Kindern und Jugendlichen okkupiert und zum Abenteuerspielplatz zweckentfremdet. Hand aufs Herz: Wer würde, wenn die Sommersonne die Quecksilbersäule auf 25 Grad Celsius und höher klettern läßt, beim Sturm auf die Wasserkanonen nicht mitmachen wollen? □

Hitverdächtig:
Rock, Pop, Jazz, Folk
im Glacis-Stadtpark

Hier schöpfen Stadt und Bürger Atem:
des Glacis-Stadtparks westlicher Teil

Grenzgänger

Zwei Japaner in Neu-Ulm:

Tsugio und Tomitaro Nachi, Künstler

Stundenlang konnte der Bub am Bach stehen, fasziniert von den Reflexen der Sonne und des Lichts auf dem Wellengekräusel. Das ist 50 Jahre her. Für den 1924 in Yokohama geborenen Japaner wurde die optische Sensation bewegten Lichts zum lebensbestimmenden Thema. Seit 1972 wohnt und arbeitet er zusammen mit seinem jüngeren Bruder Tsugio in Neu-Ulms Gabelsbergerstraße 17: Tomitaro Nachi, Maler, Zeichner, Objektemacher. Auf deutsch heißt „Nachi" soviel wie „bekannter Name". Doch gemessen am Jubel-Quotienten der Spitzen neu-ulmischer Gesellschaft, sind die beiden Japaner eher die großen Unbekannten. Vielleicht liegt es daran, daß ihre Kunst nicht so spektakulär (in des Wortes waschechter Bedeutung) ist. Werbeträchtiges Flügelschlagen und Leitartikelei mit Pinsel oder Zeichenstift sind bei ihnen verpönt. Trotzdem haben sie in den Spalten des Feuilletons schon Schlagzeilen genug gemacht. Arbeiten von ihnen waren schon im Stedelijk Museum Amsterdam, in den Kunsthallen von Hamburg und Basel, in der Staatsgalerie Stuttgart, in den Städtischen Sammlungen Nürnberg, im Museum Ulm und in der Staatlichen graphischen Sammlung München zu sehen. 1970 erhielten die Nachis auf der Biennale in Venedig für ihre lichtkinetischen Objekte einen eigenen Raum direkt neben Max Bill; 1972 waren sie gleich in zwei Abteilungen vertreten, diesmal mit Druckgrafik und Handzeichnungen. 1976 stellten sie auf der documenta 6 in Kassel Türme und Frottagen aus. Die Kunstkritik verlieh Tomitaro und Tsugio Nachi den Ehrentitel „Klassiker der op art". Indes, die beiden Japaner passen nicht so recht in die Schubladenfächer eilfertiger Titelerfinder. Wer einmal das Vergnügen hat, mit seinen Augen in der im Atelier ausgebreiteten Hügellandschaft aus Zeichnungen, Bildern und Objekten spazierenzugehen, der kommt aus dem Staunen nicht heraus. Da gibt es mit dem Silberstift auf Bütten hingehauchte Türme, wie sie sich Tomitaro aus dem Zugfenster bei Tempo 160 präsentierten; Aktzeichnungen in Öl, deren Linien in ein energetisches Farbfeld eingespannt sind; mit zarten Pastellfarben oder spärlich verwendetem Aquarell zu einem sehr fragilen Leben erweckte Ansichten von Häusern und Gassen; monochrome Ölbilder, auf denen die Farbe pulsierende Klänge entfalten darf; geometrische Gespinste aus Bleistiftlinien, die aus Mulden und Kerben von Steinen wuchern; und auf den Berggipfeln an die hundert Modelle von Objekten. Ihre bisher größte Skulptur schufen die Japaner aus Neu-Ulm vor dem Olympia-Zentrum in Kiel: Auf mehreren Masten drehen sich, Eleganz, Leichtigkeit, Dynamik der Segelwettbewerbe paraphrasierend, großformatige Aluminiumzungen sanft in der Brise der Kieler Förde. „Ich will nicht komplizierte Formen oder komplizierte Farben", sagt Tomitaro, „das Einfachste hinterläßt den stärksten Eindruck." In der Nachbarstadt Ulm, am Westbad, läßt der Wind bunte, tropfenförmige Flügel, als wären es Schmetterlinge, hin und her schaukeln. Über dem Grundsteinschacht der Universität auf dem Eselsberg dreht sich seit 1976, von einem Elektromotor in Gang gehalten, eine in Streifen aufgefächerte, kreisrunde Aluminiumscheibe, abwechselnd ihre gelb gestrichene oder silbern glänzende Seite zeigend: das Objekt „Unendlichkeit". Bei Lichtversuchen strahlten die beiden Brüder Nachi die Lamellen einmal mit roter Farbe an: Es war, als ob die Sonne hinter dem heiligen Berg Japans, dem Fudschijama, vorbeizöge. Funkelndes Licht, huschendes Licht, verwehendes Licht, atmendes Licht: Nachi-Objekte bieten allemal ein erregendes Augenerlebnis, in das sich die Ahnung vom magischen Ursprung aller Kunst mischt; wo immer sie stehen, schaukeln, pendeln oder kreisen, verändern sie den Raum. Etwas Meditatives geht von ihnen aus, ein poetisch-sinnlicher Reiz, neben dem die Schwerkraft der sie umgebenden Dinge nicht mehr viel zählt. „Man kann sie", schreibt der Architektur-Professor Karl-Heinz Reisert im Katalog zur Nachi-Ausstellung des Ulmer Museums im Jahr 1983, „nur mit den griechischen Tempeln vergleichen, deren offensichtliche Schönheit und Harmonie in vielen kleinen, aber sehr wichtigen Details und Raffinessen verborgen liegen."

Schönheit und Harmonie fallen nicht vom Himmel. Die endgültige Gestalt eines Objekts ist das Ergebnis langer Untersuchungen über optische Phänomene und lichttechnischer Studien über Oberflächen und Proportionen. Dem Feuerwerk der Lichtbrechungen und Lichtreflexionen liegen exakte mathematische Berechnungen zugrunde, wie sie der Goldschmiedesohn Albrecht Dürer schon 1525 in seiner „Underweysung der messung mit dem zirckel und richtscheyt" allen Künstlern empfahl. Dürers gesammelte Erkenntnisse über Farbe, Formen und Proportionen sind den Nachis geläufig: Der Entwurf eines Objekts für die Biennale Venezia 1970, heute im Besitz der Kunsthalle Nürnberg, zitiert ganz bewußt eine Studie Dürers über „Konstruktion und Aufriß der gewundenen Säule". Die Beschäftigung mit der Theorie spielt eine wesentliche Rolle im Schaffen der beiden Japaner. Bevor er in die Kunst „einstieg", beschäftigte sich Tomitaro mit Flugzeug- und Maschinenbau. Von 1947 bis 1961 forschte und lehrte er an den staatlichen Universitäten von Tokyo und Tschiba auf den Gebieten der Malerei, Bildhauerei, des Industrial-Designs und der Architektur. Das Interesse an allen möglichen gestalterischen Problemen lockte 1957 den um sechs Jahre jüngeren Bruder Tsugio an die Hochschule für Gestaltung (HfG) nach Ulm, in der, vier Jahre später, auch Tomitaro als freier Mitarbeiter ein neues Betätigungsfeld fand. In den Jahren 1965 bis 1967 war er dann an der Technischen Hochschule in Stuttgart tätig. Seit 1972 haben die beiden Künstler ihre Zelte in Neu-Ulm aufgeschlagen. Weil es sich eigenem Bekunden nach „hier ganz gut lebt", wollen sie ihr Domizil in der bayerischen Grenz- und Frontstadt nicht aufgeben, auch wenn der Wunsch in Erfüllung gehen sollte, wenigstens für einige Monate im Jahr in Amerika, in Paris, in London oder in Wien arbeiten zu können. New York hat unterdessen sein Interesse schon angemeldet. Ein Beweis für das hohe internationale Renommée, das Tomitaro und Tsugio Nachi genießen.

Bild rechts: Schwerelose Wirkung: Nachi-Raute in der Hamburger Kunsthalle.

Trostpflaster für die Rückkreisung: Baukunst

Kunst am Bauzaun: Neu-Ulmer Schüler sorgten mit Pinsel und Farbeimer dafür, daß der Spaziergänger nicht drei Jahre lang – so lange dauerte der Landratsamtsneubau – ein Brett vor dem Kopf hatte. Wenn Neu-Ulm kreisfrei bleibt, wird es das Landratsamt verlieren", zeichnete am 19. August 1971 Bayerns damaliger Innenminister Dr. Bruno Merk, das Gespenst der „Ämterentleerung" an die Wand des Sitzungssaales im Neu-Ulmer Rathaus. Der oberste Gebietsreformer war zu einer Sondersitzung des Stadtrates an die Donau geeilt, um die von ihm betriebene Rückkreisung nicht länger als Fettfleck auf dem kommerzienrätlichen Bratenrock der Stadt erscheinen zu lassen. Neu-Ulm war erbost: Die Vereine sammelten Unterschriften gegen die Degradierung zur „Großen Kreisstadt", auf den Heckscheiben der Autos klebte die Kampfparole „Kreisfreiheit für Neu-Ulm". Im Kabinett zu München herrschte Bruderzwist. Max Streibl, Minister für Raumordnung und Landesplanung, bekannte: „Da ist eine große Panne passiert." Doch Merk setzte sich durch. Neu-Ulm wurde zum 1. Juli 1972 rückgekreist und – behielt sein Landratsamt. Seit Herbst 1982 residiert es – das alte Amtsgebäude am Donauufer war unterdessen zu klein geworden – in neuen Räumen an der Kantstraße. Um den Lästermäulern, die Behördengebäude immer gleich als Beamtensilo in Verruf bringen, das Wasser abzugraben, haben die Planer des Ulmer Architekturbüros Glöckler die Baumassen solange umverteilt, bis sie ihnen wie ein plastisches Gebilde, eine Skulptur, erschienen. Eine Skulptur, die wegen ihrer kupfernen Fassadenverkleidung – wie die Architekten versichern – „mit den Jahren noch an Schönheit gewinnt". □

Bild rechts: Von der Sonne auf Hochglanz gebracht:
Das neue Landratsamt mit seinem kupfernen Fassadenkleid

Erinnerungen an das Dorf Offenhausen

Von einem listenreichen Kurfürsten, einem geplanten Hafen für die Donauschiffahrt und knauserigen Stadtvätern

Ein Offenhausener wühlt nicht gern im Lattenverschlag der Geschichte: Ein paar schartige Sensen lungern da herum, vom Dachfirst baumelt ein vergammeltes Pferdekummet, an einem Bauernschrank knabbert der Zahn der Zeit.

Einiges aus der Abteilung Krieg und Frieden: Arkebusen, Hellebarden und ein aus Eisen gehäkeltes Oberhemd, sieht zwar ganz so aus, als stamme es aus dem Nachlaß Heinrich Laidolphs, der im 14. Jahrhundert von seiner Ritterburg aus ganz Offenhausen beherrschte; wahrscheinlich aber handelt es sich dabei um Requisiten einer längst verflossenen Faschingssaison. Unter einer erloschenen Stallaterne hängt, in Öl auf Leinwand, ein stulpenbestiefelter Herr, der mit adeligem Zeigefinger auf die rauchenden Trümmer der Festung Belgrad zeigt. Ihm wedeln wir mal mit einem Federwisch den Staub vom Kostüm. Erkennen Sie ihn? Ja, es ist Max Emanuel, der ruhmsüchtige Frauenheld, schmissige Feldherr und leidenschaftliche Spieler. Man glaubt es kaum, aber der Blaue Kurfürst hat mit Offenhausen zu tun.

Am 11. September 1702 streckte er im Weinwirtshaus „Zum Baurengarten" in der Ortsstraße alle Viere von sich und ließ auftragen, daß sich die Tische bogen. Mit bauchblähendem Lachen reichte er seinen Zechkumpanen einen Zettel: die Kapitulation der Reichsstadt Ulm – furioser Auftakt des Waffengangs zwischen Österreich und Frankreich um die spanische Erbfolge.

Am 8. September 1702, früh um sechs Uhr drängten sich vierzig bayerische Offiziere, als Bauern verkleidet, mit Hühnern und Eiern unter dem Arm, gerade als kämen sie aus Pfuhl oder Offenhausen auf den Markt, durch das Gänstor. Als die Wache, etwas skeptisch geworden, den Schlagbaum herunterließ und zu den Waffen eilte, fielen auch schon die Dragoner ein, jeder mit einem Infanteristen als Sozius auf seinem Pferd. Vom Münster läutete die Sturmglocke, doch den Ulmer Ratsherren erschien der Widerstand gegen die Soldaten Max Emanuels sinnlos. Um Schlimmeres zu verhüten, stellten sich einige sogar vor die Kanonen. Im Wirtshaus „Zum Bock" wurde um 10 Uhr die Kapitulation unterschrieben. Dem listenreichen Kurfürsten und begabten Zecher ist durchaus zuzutrauen, daß er sein Hauptquartier mit Bedacht in einem Weinwirtshaus und nicht etwa im Schlößle aufgeschlagen hat. Das dort gebraute Bier war nämlich kaum zu goutieren. Nach einer Brotzeit im „Schlößlein" um 1770 schimpfte der Ulmer Gymnasialprofessor Johann Herkules Haid, Verfasser eines „Wanderführers" und tatkräftiger Vertreter der Aufklärung: „Das Bier riecht nach Schwefelleber." Von Pfuhls nichthomogenisierter Vorzugsmilch verwöhnt – die Ulmer wurden nämlich von dort mit Milch versorgt – wollte es der Professor erst gar nicht mit einem Glas Milch probieren. Sie hätte ja aus dem Steinhäule stammen können, wo, so die Haidsche Analyse, „wilder Knoblauch ihr einen starken Geruch mitteilt".

Da ist auch noch eine vom Holzwurm schwer angebissene Truhe. Von welchem „Odelbaron" sie wohl stammt? Außer der dumpfen Luft aus der Zeit der napoleonischen Kriege war unter ihrem unmutig knarzenden Deckel nichts verborgen. Ja, der Franzosenkaiser war auch in Offenhausen. Am 14. Oktober 1805 galoppierte er mit seinem Stab, aus Leibi kommend, in den Wirtsgarten vom Schlößle. Vielleicht hat der die Truhe als Schemel benutzt, um vom Erkerfenster aus die Gefechtslage bei der Eroberung Ulms besser beobachten zu können. Um die Festung schleifen zu können, zog er 3500 Bauern aus der Umgebung zur Zwangsarbeit heran. Offenhausen selbst war schon immer so etwas wie eine Bauernfigur im Schachspiel der Mächtigeren. Wie das mürbgelagerte Urkundenbündel belegt, wurden Höfe, Weiden und Äcker jahrhundertelang hin und her verschachert. Das Frauenstift zu Lindau hatte Besitzanteile, das Kloster Bebenhausen, das Söflinger Frauenkloster, das Spital zu Ulm und – wie könnte es anders sein – auch zahlreiche Patrizierfamilien der nahegelegenen Reichsstadt. Die einzige nervenkitzelnde Abwechslung: 1616 wurde im Dorf bei lebendigem Leib eine Hexe verbrannt. Als es 1803 bayerisch wurde, war es gar kein Dorf im politischen Sinn, sondern nur „ein Aggregat von Privatrechten und Verbindlichkeiten". Mit dem Steinhäule und dem Striebelhof, dem Freudenegger Hof, dem Gurrenhof, dem Harzerhof und der Siedlung an der Illerbrücke wurde es mit Allerhöchster Entschließung vom 7. April 1811 dem Landgemeindeverband „Ulm auf dem rechten Donau-Ufer" zugeschlagen, ohne jedoch seelenvolle Kontakte knüpfen zu können.

Schon bald hegten Offenhausens Ackerbauern den Verdacht, Neu-Ulms Handel- und Gewerbetreibende schauten geringschätzig auf sie herunter. Und noch 1827 reichten sie die Scheidung ein, doch die Staatsregierung lehnte ab. Am 12. Oktober 1830 setzten sie mit steiler Berg- und Talschrift ein zweites Gesuch auf. Neu-Ulms damaliger Landrichter und Polizeikommissär Hummel teilte die Befürchtung, daß Offenhausen mit seinen 25 Familien von den 45 Familien Neu-Ulms immer überstimmt werde, und damit von der Gemeindeverwaltung ausgeschlossen sei. Überdies hatte Hummel selber längst die Übersicht verloren: „Diese zusammengesetzte Gemeinde ist so weit auseinandergestreut, daß von den beiden äußersten Einöden Striebelhof bis Freudenegg die Entfernung über drei geometrische Stunden beträgt, und wenn durch ihre sämtlichen Orte gegangen werden muß, hat der Gemeindediener einen ganzen Sommertag dazu nötig." Hummels Argumente waren stichhaltig. Was der Staatsvertrag vom 18. Mai 1810 verbunden hatte, wurde vom Bayerischen Staatsministerium mit Reskript vom 14. März 1832 endlich getrennt. Mit Wagnermeister Georg Seybold als Ortsvorsteher, Engelwirt Martin Schleicher als Gemeindepfleger und Tobias Heuß, Schuladstant in Pfuhl, als Schreiber, machte sich Offenhausen auf eigenen Füßen auf den Weg in die Zukunft.

Am Eingang von Offenhausen die „Bauskulptur“ des Landratsamtes, ihr gegenüber das 1909 von dem Architekten Fritz Schäfer mit heiteren Jugendstilschnörkeln erbaute Landhaus mit Rundpavillon.

Offenhausens „Schlößle“ ist als Rittersitz seit dem 14. Jahrhundert nachweisbar. In seiner heutigen Form stammt der dreigeschossige Rechteckbau aus dem 16. Jahrhundert. Seit 1690 ist das Schlößle Mekka der Brotzeitmacher aus nah und fern.

Bild links: Pfeilschnell ist das „Jetzt“ verflogen: Die Turmuhr von St. Albert

1869 Ansicht des Feldbaus des Balthaser Schrem in Offenhausen. 1869

Schade, daß nie ein Maler vom Schlag des Kabinettzeichners Max Joseph Wagenbauer oder des Landschafters Eduard Schleich mit seiner Staffelei des Weges kam und zum Flötenspiel der Nachtigallen aus dem Herbelhölzle die Offenhausener Stimmungslandschaft mit dem Pinsel einfing: die gemeindeeigene Schafweide inmitten von Feldern, die hinausschwimmen in alle Abstufungen der Ferne; Rösser, Heuwägen, Hornvieh und werkende Bauernmenschen als Staffage eingestreut; silberdunstige Nachmittagswolken, die warme Strahlenbündel auf das hohe Satteldach vom Schlößle herniedergießen... Im Ort drinnen trübt sich allerdings der feiertägliche Schein etwas. Das Glück der Dörfler lag immer mehr in der Beschränkung. Beim Umhofbauer und beim Deutschenbauer, beim Hamburger und beim Schatzen, beim Mehljakel und beim Beckejörg – um nur einige der Hausnamen zu nennen – klopften die Base Einsamkeit und der Vetter Armut an die Tür: Von der Landluft hatten die Offenhausener bald die Nase voll.

Hofrat Josef Kollmann, seit 1885 Bürgermeister in Neu-Ulm, roch den Braten schon seit langem. Um einmal die Stadt nach Osten erweitern zu können, hatte er schon beträchtlichen Grundbesitz auf Offenhausener Gemarkung erworben. Der Ort erschien ihm als der richtige Landeplatz für seine hochfliegenden Pläne, zu denen auch der Bau eines Hafenbeckens an der Donau gehörte: Neu-Ulm, der Kopfhafen für den Massengüterverkehr der gesamten donauländischen Wirtschaft bis zu den südrussischen Industriezentren im Donezbecken.

Der Wolf im Hofratspelz brauchte nicht lange um Einlaß zu bitten. Am 11. November 1907 stimmten sechs von insgesamt sieben Mitgliedern des Offenhausener Gemeindeausschusses für die Eingemeindung. Und bereits am 31. Dezember des gleichen Jahres haben „Seine Königliche Hoheit Prinz Luitpold, des Königreichs Bayern Verweser, allergnädigst geruht, mit Wirkung vom 1. Januar 1908 die Zuteilung der Gemeinde Offenhausen zum Distriktsverwaltungsbezirk der Stadt Neu-Ulm zu verfügen".

Offenhausen war einverleibt. Die Stadt war um 18 893,19 Mark reicher, zählte 353 Seelen mehr und gewann 302, 28 Hektar an Grund und Boden dazu.

Da damals Dreifachturnhallen mit Mikrowellenküche und Hebebühne für die Vereinstragöden noch nicht erfunden waren, blieb die Eingemeindung ohne triste Folgen für den Etat der Stadt. Sie schloß für 30 797,32 Mark 55 Häuser an das Rohrnetz des Wasserwerks an und ließ ein Abendessen springen. Auf der Versöhnungsfeier am 8. Januar 1908 im Saal des Ehretschen Gasthauses „Zum Goldenen Engel" nahm Kollmann das Wort: „Ihn ehelicher Treue wollen wir fürderhin teilen Freud und Leid, Hoffen und Sorgen." Offenhausen dankte ihm mit andächtiger Begeisterung.

Treueschwüre gehen tausend auf ein Kilo. Als sich der 50. Jahrestag der Einverleibung näherte, traf sich ein Festkomitee, gebildet aus allen Offenhausener Ständen, um das Datum mit Würde zu feiern. Doch Neu-Ulms Stadtrat zeigte sich recht zugeknöpft. In seiner Sitzung vom 30. Oktober 1957 sah er sich „im Hinblick auf die derzeitigen Finanzsorgen nicht in der Lage, die für die Veranstaltung erforderlichen Mittel bereitstellen zu können". Die erforderlichen Mittel: 100 Mark für eine Zwei-Mann-Kapelle, 220 Verzehrbons à 3,65 Mark und Papiergirlanden für 50 Mark, mit Trinkgeldern rund 1000 Mark.

Der Ort, der mit gütigem Verzichtslächeln Neu-Ulmer Bauwut über sich ergehen ließ, reagierte sauer. In den zurückliegenden 50 Jahren hatte sich das Leben grundlegend verändert: die Zahl der landwirtschaftlichen Betriebe wurde immer kleiner; eine Straße nach der anderen, für die Dichter, Denker und Komponisten ihre Namen leihen mußten, riß die Ortsränder auf; Industrie zog in das Dorf. Der Name „Offenhausen" bekam einen Beigeschmack von Wahrheit: offen für jeden und alles. Mit seinem Vorschlag, eine Feier ohne Vesper zu inszenieren, konnte der damalige Oberbürgermeister Tassilo Grimmeiß die Offenhausener nicht mehr aus dem Schmollwinkel herauslocken. Das Eingemeindungsfest fiel aus. Es waren ohnehin nicht mehr viele, die damals den goldenen Worten Kollmanns noch ihr wohlgeneigtes Ohr liehen. In den 50 Jahren war die Bevölkerung des Vororts von 353 auf 3927 Einwohner angewachsen: sie hatte sich verelffacht. Und als Neu-Ulm 1969 den 100. Jahrestag der Stadterhebung feierte, wohnten in Offenhausen schon 6169 Bürger. Und wie viele sind es heute? Nicht auszudenken, wie es in dem Ort aussähe, wenn Kollmanns Traum vom Donauhafen Wirklichkeit geworden wäre. Ohne ihn lebt es sich ganz angenehm und komfortabel. Wenn in den Wirtsgärten die Freiluftsaison begonnen hat, streben Ulmer und Neu-Ulmer mit Kind und Kegel dem Schlößle zu, um dort bei Bier und Brotzeit solange auszuharren, bis die Sonne auf Zehenspitzen hinter dem Kuhberg verschwindet. Ganz wie vor 160 Jahren, als Ulms Kanzleirat Schlotterbeck, von seinen Dienstgeschäften offenbar nicht ganz ausgefüllt, dichtete:

> Der Mittwoch macht mich recht verlegen
> Flieh ich nach den drei Taubenschlägen?
> Wie? oder schlürf ich Würzburgs Wein
> Im Zelt zu Offenhausen ein.

Mancher brachte aus dem Mekka der Durstigen als Souvenir ein kleines Räuschchen mit nach Hause, was dem Ort den Spitznamen „Affenhausen" eingebracht hat. Offenhausen soll der Spott nicht zum Schaden gereichen. Die Stadt träufelte Balsam in die Wunden. Anno 1983, dem 75. seit der Eingemeindung nach Neu-Ulm, gab's ein Fest. Sogar mit einer Ausstellung, zu der das Stadtarchiv eine Menge von Fotos und Urkunden zusammengetragen hat: Erinnerungen an ein verstädtertes Dorf, das sein Gesicht noch nicht gefunden hat. Noch keine 30 Jahre alt, wurde am 1. Dezember 1982 die katholische Kirche St. Albert abgerissen, weil sich Risse im Kirchenschiff gebildet hatten. Bis der neue Zentralbau um Chor und Turm, die stehenblieben, fertig ist, treffen sich Offenhausens Katholiken unter einem Zeltdach. □

Am Donausteg in Offenhausen
belauscht: Schwanengesang

Ein (einseitiger) Versuch, die Motive Pfuhler Handelns zu verstehen

Von antibayerischen Stimmungen, tölpelhaften Lehrern und einem Riesen namens Moko

Den Pfuhlern wär's halt recht, wenn das in den siebziger Jahren unter sehr heftigen chemischen Reaktionen entstandene Retortengebilde (die Verwaltungsjuristen nennen es Gemeindegebietsreform) nicht Neu-Ulm, sondern Pfuhl hieße.
Dabei haderten sie lange mit ihrem Ortsnamen, dachten sie doch, alle Welt hielte sie, weil aus einer sumpfigen Niederung herkommend, für Breitmaulfrösche.
Einer aus ihrer Mitte, Jakob Bitterolf, vertraute seinen Namenskummer vor über 80 Jahren dem Dichterroß Pegasus an:

...Wonnig Bild in meinem Herzen,
Denkmal, wo ich ging zur Schul,
eines kann ich nicht verschmerzen,
daß die Karte dich nennt Pfuhl!

Bei dir lag vor vielen Jahren
wohl einmal ein kleiner See.
Längst geht hier der Pflüge Scharen,
hoch wächst Weizen, Hafer, Klee.

Rings um deine weißen Mauern
schaut man zähen Fleißes Spur.
Weithin machten emsig Bauern
magre Schollen zur Kultur.

Von Neu-Ulm bis Burlafingen
stolz ein Gottesgarten blüht.
Ihm darf ich mein Liedlein singen
von der Halde bis zum Ried.

Dörflein lieb, sei mir entgolten,
edler Schweiß von Mann und Frau –
werde nun nicht mehr gescholten,
heiße fortan: Schön-Neu-Au!

Bild rechts:
Tele-Vision vom Ulmer-Münster ins Donautal

Bis 1805 war der schlichte Fachwerkbau mit ulmischen „Guckenhürle" Sitz des Ulmer Amtmanns. 1821 zogen die Pfuhler Schüler in das Gebäude. Seit 1921 diente es auch als Rathaus.

Vor den Toren der Stadt Ulm gelegen, hatte Pfuhl oft unter Einquartierungen, Brandschatzungen und Plünderungen zu leiden. Im Markgrafenkrieg 1552 stand die Kirche St. Ulrich (Bild oben) in Flammen, 1634 steckten Kroaten fast alle Häuser in Brand, 1648 raubten Franzosen das ganze Vieh.

Seit dieser Zeit „demonstrieren" Baumveteranen auf dem Kapellenberg für den Frieden. Nicht dem Krieg, sondern dem Verkehr mußte die 1478 von Bürgern aus Ulm gestiftete Marienkapelle weichen, deren Chor

mit seinem prächtigen Lilienfries und den abgetreppten Strebepfeilern (unten links) einige Meter von der Straße entfernt wieder errichtet wurde. Wie „Seehalle" und Flohmarkt zeigen, ist die soziale Distanz zur Stadt durch Nachahmung städtischer Lebensformen gering geworden.

Bis in die 30er Jahre trieb eine Gänshirtin allmorgendlich die Gänse im ganzen Dorf zusammen und watschelte mit ihnen zur „Roßwette“. Unmittelbar hinter den Wohnhäusern lag bis 1950 der „Gänsgarten“, in dem sich das Federvieh vom Rudern erholte und das Gras abweidete.

Doch Pfuhl blieb Pfuhl. Und die Vorstellung, daß Neu-Ulm nun so etwas wie der Kopf und das immerhin schon 1246 erstmals urkundlich erwähntes „Phulle“ nur das Untergestell sein soll, wurmt die Pfuhler schon saumäßig. Um an die Wurzeln des Schmerzes zu kommen, muß man mit dem Sezierbesteck des Historikers tiefe Einschnitte machen.

Schon um 1300 genoß Pfuhl, damals zur freien Reichsstadt Ulm gehörend, eine gewisse Sonderstellung unter allen zum reichsstädtischen Landgebiet gehörenden „Gemainen“. Das war in der Tat recht ungewöhnlich, kamen doch die sogenannten Pfahlbürgerrechte nur einzelnen Patrizierfamilien in der Umgebung zu. 100 Jahre später wurde der Ort Sitz eines Ulmer Amtmannes, dem die Verwaltung des ganzen ulmischen Gebiets südlich der Donau oblag.

Das änderte sich indes schlagartig mit dem Tag, an dem Ulm seine Reichsfreiheit verlor und dem Kurfürstentum Bayern zugeschlagen wurde. 1804 machte ein Pfuhler Bauer seinem Ärger Luft:

Und eussere Buaba, die nimmt ma weg
und sezt enn so Bleachkappa auf,
ma kloidets in gstumpete Kittala
und puzzets als Kriagshelda auf.

Ma bendt enn a Schwänzla in d'Anka nai,
lairts[1] steif wie a Moiabaum stau,
ma drukt enn a Schiesgwehr uf d'Axel na
und lairts wie a Stelzamaa gau.

So lang mer da guldana Frieda hand,
dau gatt ders no älleweil ah,
dau könnet die Buaba mit Urlaub gau
und stellat beim Pfluag no da Mah.

Se bildet se zwaur glei an Saak vohl ai,
se send der beim Saufa net blaid[2],
se fluchet und reisset der d'Mädla rum,
als hätt enns der Feldwebel gsait.

[1] Läßt sie [2] blöd

Weithin sichtbar ist der achtseitige Spitzhelm des Turmes von St. Ulrich in Pfuhl. Ursprüngliche Filiale von Ulm, wurde die Kirche 1530 protestantisch und ist seit 1582 Pfarrkirche.

An der Nordwand über der Sakristeitür von Sankt Ulrich: Salvator Mundi, den Kranz des Lebens haltend.

Allen Pfuhlern war klar (wie hätten sie auch die Zusammenhänge überblicken können?): der Schurke im Spiel, das sind die Bayern. Richtig ernst wurde die Lage erst, als Ulm württembergisch und die Donau zur Staatsgrenze zwischen zwei Königreichen wurde. Pfuhl war jetzt abgenabelt. Von einem Tag auf den andern hörte eine der Haupteinnahmequellen der Pfahlbürger auf zu sprudeln: die Barchent- und Leinenweberei. Jahrhundertelang hatten Pfuhler „Gäuweber" die Ulmer Golschen-[1] und Barchentschau beschickt; in jedem Haus klapperten die Webstühle. 1776 zählte man zu Pfuhl 40 Weber, aber nur 14 Bauern. Bayerische Zoll- und Mautgebühren machten aber auch dem fetten Handel mit Gänsen[2] den Garaus und ließen die Räder der Milchkarren nicht mehr über die Donau rollen. Versteht sich, daß der Unfug mit dem Schlagbaum das Feuerchen anti-bayerischer Affekte stürmisch anfachte und all jenen rechtgab, die immer schon wußten:

Wir Schwaben sind von hoher Art,
wie wir wissen:
Es hat uns ein Vögelein
vom Baum geschissen;
und aus dem Schwaben seinem Stank
is kommen der Frank,
und aus dem Frank seine Eier
is kommen der saubere Bayer!

Gemeint war natürlich der „Saubayer". Der Wahrheit des ganzen Pfuhler Jammers verhelfen die allerersten Lektionen dieses Buches wenigstens zu dämmerig beleuchteter Anwesenheit.

Ein besonders düsteres Kapitel ist es, daß diese Wahrheit nicht schon damals in Pfuhler Schulstuben, dem Ort der Befreiung aus dumpfer Unwissenheit, ein Asyl gefunden hat. Aber was ist mit solchen Lehrern anzufangen, wie zum Beispiel Samuel Jehlen, Einmaleinsknecht von 1724 an, dem das Schulinspektorat attestierte: „In der Orthographie ist er noch nicht perfect, denn er setzt einen großen Buchstaben dahin, wo ein kleiner gehört und umgekehrt. Im Rechnen ist er auch noch nicht geübt, er wolle sich noch informieren." Doch sein Nachfolger, der Organist Abraham Federlen, „kann das Rechnen auch nicht, wird sich aber schon zurechtfinden." Jede Gemeinde bekommt den Lehrer, den sie verdient. Der Ortsvorstand ließ es offensichtlich an der richtigen Auffassung von Würde und Bürde des Lehreramtes fehlen, denn als Provisor Abraham Ihle, Schulmeister seit 1800, zum zweiten Mal zum Gemeindepfleger gewählt worden war, las die Regierung des Oberdonaukreises Augsburg ihren Pfuhlern ordentlich die Leviten: „Es kann dem Lehrer keine Achtung einbringen, wenn er – wie bisher – gleichsam der Diener des Ortsvorstandes bleibt. Die Verhandlungen sind nicht selten im Wirtshaus, wo hinter Krügen und Gläsern, eingehüllt in Tabakqualm, gezecht wird; es entsteht dann leicht Bier- und Schnapsdurst. Daß er beim Absägen der Kuhhörner in der Gemeinde mit herumgehen muß, geziemt sich erst recht nicht..." Eine gewisse Linderung des Bildungsnotstandes brachte ab 1828 August Tröglen, ehedem Lehrer in Bächingen. Pfuhl hatte unterdessen von Oberleutnant Johann Jakob Cellarius für 3100 Gulden das frühere Amtshaus der Stadt Ulm gekauft, um für die bildungshungrige Jugend ein dem Wissenserwerb förderliches Ambiente zu haben. Als Entwicklungshelfer sprang dem neuen Magister Johann Caspar Seeßlen als Gehilfe bei, der es sogar schaffte, vom Vorsteher Lopp einen Eiferzuschlag von 14 Gulden zu erhalten: „Dem Lehrer Seeßlen wird in Betracht seiner Wirksamkeit und seines Eifers als Lehrer und in Erwägung seines erfolgreichen Strebens, durch den von ihm gegründeten Singverein, den Kirchengesang zu heben, einen besseren Volksgesang herbeizuführen und Spiel-, Rauf- und Streitsucht zu vermeiden und zu verdrängen, eine Gehaltszulage von 14 Gulden aus der Gemeindekasse zugesichert und selbige zum erstenmal ausbezahlt für das Etatjahr 1852/53."

[1] Leinen
[2] Das Federvieh, das gerupft und gebraten auf Ulmer Tischen landete, kam zum großen Teil aus Pfuhl

Johann Kaspar Seeßlen,
Schulmeister zu Pfuhl

Pfuhl erlebte einen richtigen Bildungsfrühling. Doch auch in Seeßlens pädagogischem Pflanzgärtlein wuchs kein Kraut, mit dem die feindselige Gesinnung der Pfuhler gegen alles Bayerische hätte etwas gedämpft werden können. Seeßlen und sein Schwiegerpapa Tröglen konnten von Glück reden, wenn die Gemeinde nicht ins Württembergische abdriftete, hatte doch im April 1833 Seine Königliche Hoheit Herzog Heinrich von Württemberg die Herzen der Pfuhler im Sturmlauf erobert. Als am Sonntag, den 14. April, abends zwischen 6 und 7 Uhr in der Mitte des Dorfes ein schreckliches Feuer ausbrach und Gebäude und Aussteuer der drei unmündigen Kinder, einen neuen Wagen, eine Windmühle und alle Möbel des Söldners und Maurers Frank verzehrte, übersandte Hoheit unverzüglich der Gemeinde vier Pferde der Leibequipage mit dem ausdrücklichen Befehl, „solche wie nur immer nötig verwenden zu dürfen".

Bayerischen Wohltaten aber verschlossen sich die Pfuhler recht eigensinnig. Beim Bau der Eisenbahn von Augsburg nach Neu-Ulm im Jahr 1853 verzichteten sie auf einen Gleisanschluß ins bayerische Landesinnere. Der Gemeinderat lehnte ab mit der Begründung: „Do schuiat onsre Küah ond Gäul." Der Schienenstrang wurde südlich des Kapellenbergs verlegt. Der Fortschritt dampfte an Pfuhl vorbei. Trotzem pochte man beim Umgang mit seiner Umgebung auf die natürliche Rangordnung: Wir Pfuhler da oben – ihr da unten.

„Neuulm existiert zur Zeit nur in der Einbildung", kritzelte am 12. November 1814 ein Pfuhler in das Steuerregister der Gemeinde. Und als im September 1855 in Neu-Ulm das landwirtschaftliche Distriktsfest[1)] ausgerichtet wurde, führten Pfuhler Milchmädchen im Festzug ein Transparent mit sich, auf dem zu lesen stand:

> Wenn i und mei Karr und mei Millwagel net wär,
> Wo nähmen die Stadtleut den Rahm zum Kaffee her?

Der Selbsterhöhung diente auch die Pflege der Kontakte zum großen Bruder Ulm. Beim legendären historischen Festzug am 30. Juni 1877, dem 500. Jahrestag der Grundsteinlegung für das Münster, waren die Pfuhler mit von der Partie. Ihre prunkvolle Darstellung eines ländlichen Brautzuges mußte ja der Umwelt, der balkanesischen, Respekt einflößen. Und als der württembergische Verwandte 1890 ein zweites Mal zum Jubel rund um den höchsten Kirchturm aufrief, marschierten die Pfuhler Hochzeiter wieder.

Eine glückliche Fügung des Schicksals bescherte dem Ort wenig später noch einmal eine Korsettstange für das Selbstwertempfinden. 1870 legte es den Eheleuten Mürdel, Ecke Hauptgasse/Kirchgasse, ein Knäblein in die Wiege, das es auf die stattliche Höhe von 2,30 Meter bringen sollte. Eine Schaustellertruppe, die in Ulm gastierte, engagierte den zum Metzger heranwachsenden Riesen und ließ ihn unter dem Künstlernamen „Moko" überall im Reich ringen und stemmen. Deutschlands Sportsfreunde zitterten.

Viel Wasser floß unterdessen die Donau hinunter. Das Unterrichtswesen ist längst saniert. Heute steht in dem Ort ein ganzes Schulzentrum mit Hauptschule, Realschule, Sonderschule und Gymnasium. Auch die Motive politischen Handelns sind vielfältiger geworden: Wie die Wahlergebnisse sinnfällig beweisen, ist die Bayern-Gegnerschaft deutlich im Abkühlen begriffen. Doch beim verbalen Fingerhakeln am Neu-Ulmer Ratstisch schimmert immer mal wieder elitäres Bewußtsein auf: ein Pfuhler ist schon etwas Besonderes. □

[1)] Dieses Fest finden Sie farbiger in dem Kapitel über die Neu-Ulmer Sturm- und Drangperiode beschrieben.

Sie besorgte die Entleerung der Neu-Ulmer Gruben: die Pfuhler Artillerie um 1910

Der Wagnermeister Jakob Urban mit Frau als „verheiratetes Paar“ beim Münsterfest 1890

Die Geschwister Roschmann als „lediges Paar“ beim Münsterfest 1890

Der „Vorderwagen“ soll seine Meister loben: der frischgebackene Schmiedemeister Hans Kaupp und Wagnermeister Max Urban (rechts) posieren 1905 vor ihrer Werkstatt für den Fotografen

Annäherungsversuche an Finningen vom Pfuhler Kapellenberg aus

Burlafinger Geschichten

Von blutrünstigen Wölfen, einem einstürzenden Kirchturm und den häßlichen Folgen der Verschönerungswut

Was das Volk im Munde führt, ist nicht alles Gold. Die Bewohner der Donautalgemeinde Burlafingen wissen davon ein Liedchen zu singen. Wo immer einer von ihnen auftauchte, riefen ihm die Gassenbuben „Bucklater" nach. Die Spottlust, die sich einmal eines Wortes bemächtigt hat, läßt es so schnell nicht wieder los. „Bucklater Burlafenger" kann man heute noch zerknitterte Ziehharmonikaköpfe in Pfuhl oder Steinheim, den protestantischen Rivalen des katholischen Fleckens, sagen hören. Doch „bucklat" waren die Burlafinger höchstens, weil sie der Flügelschlag der Zeit des öfteren im Genick getroffen hat. Das begann schon damit, daß sie Karl der Große um 810 herum an das Kloster Reichenau verschenkte. 1287 verkaufte sie ein gewisser Gerwig Güß von Güssenburg, der den Ort zu Lehen hatte, dem Nonnenkloster in Söflingen. Frau Äbtissin und das Ulmer Spital waren bis zur Säkularisation im Jahre 1803 die Hauptgrundherren.

Neu und alt auf Sichtweite: die 1957–60 erbaute katholische Kirche St. Konrad von Parzham und die 1962 von der evangelischen Gemeinde gekaufte Kirche St. Jakobus

Neue landwirtschaftliche Erzeugermethoden, Flurbereinigung und sozialer Strukturwandel haben auch das Dorf Burlafingen radikal verändert. Alte Bausubstanz, wie etwa diese Scheune, wird immer mehr verdrängt.

Bild oben:
Für Sport, Spiele und Feste:
die 1981 eingeweihte Isel-Halle

Bild links:
Suggeriert historische Kontinuität:
Maibaumfeier

Bild links:
Aufgereiht an geraden, starren Straßenräumen: das neue Burlafingen

Trotz einheitlicher Baustruktur und Dachneigung...

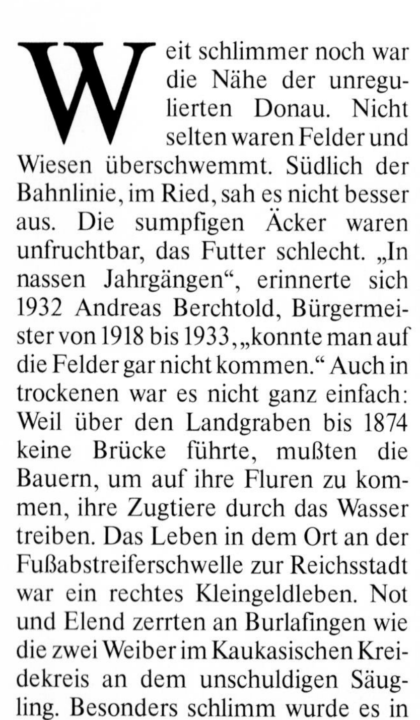

Weit schlimmer noch war die Nähe der unregulierten Donau. Nicht selten waren Felder und Wiesen überschwemmt. Südlich der Bahnlinie, im Ried, sah es nicht besser aus. Die sumpfigen Äcker waren unfruchtbar, das Futter schlecht. „In nassen Jahrgängen", erinnerte sich 1932 Andreas Berchtold, Bürgermeister von 1918 bis 1933, „konnte man auf die Felder gar nicht kommen." Auch in trockenen war es nicht ganz einfach: Weil über den Landgraben bis 1874 keine Brücke führte, mußten die Bauern, um auf ihre Fluren zu kommen, ihre Zugtiere durch das Wasser treiben. Das Leben in dem Ort an der Fußabstreiferschwelle zur Reichsstadt war ein rechtes Kleingeldleben. Not und Elend zerrten an Burlafingen wie die zwei Weiber im Kaukasischen Kreidekreis an dem unschuldigen Säugling. Besonders schlimm wurde es in Kriegszeiten. Pater Botzenhardt aus Oberelchingen krampfte sich das Herz zusammen, als er im Frühjahr des Jahres 1633 von seiner Klosterzelle aus über die Donau spähte: „Wir haben dieser Tag bei Tag und Nacht schrecklich viel Brünsten gesehen. Die Pflüg zur Habersaat haben die Leut aus Mangel an Rossen ziehen müssen." Am 28. Mai vermerkt das Tagebuch: „Alle Flecken über der Donau sein ausgeplündert, auch fast alle Roß und Vieh hinweggeführt worden... die Leut übel traktiert und deren viel gottsjämmerlich gemördert und niedergemacht". Am 10. Januar 1635 „zu Nacht um elf Uhr sein 400 Ulmische Reiter ins Tal eingefallen, alle essende War sauber hinweg und mit sich nach Ulm genommen, alles ist fasenackend in die Gärten und Winkel geflohen und übel daselbst erfroren." Was der Krieg nicht schaffte, vollendete die Pest: 1635 starben in Ulm und Umgebung 15 000 Menschen. Unter dem Hausvieh räumten die Wölfe auf, die in immer größeren Meuten zwischen den niedrigen, strohgedeckten Lehmfachwerkhäusern des kleinen Fleckens auf Jagd gingen.

Burlafingen blieb nichts erspart: Im Spanischen Erbfolgekrieg mußte es anno 1705 Quartier- und Requisitionslasten tragen, vor der Schlacht von Elchingen nistete sich französische Kavallerie in den armseligen Bretterverschlägen ein, 1813 und 1814 setzten sich russische Soldaten in dem Ort fest und richteten einen Schaden von 2000 Gulden an. Haus und Hof verwahrlosten immer mehr.

Als am 2. Januar 1809 Pfarrer Jakob Thadae Blankenhorn in Burlafingen aufzog, fand er den ganzen Pfarrhof in verkommenem Zustand, die Umzäunung war weggerissen, der Garten versumpft. Auch das dem Apostel St. Jakob dem Älteren geweihte gotische Kirchlein blutete aus vielen Wunden. Die barocke Innenausstattung war „wegen ihres etlich hundertjährigen Alters ganz vermodert und unbrauchbar", die alte Orgel ein „kleines, elendes Positiv", im Langhaus stand, wenn es draußen aus Kübeln schüttete, knöcheltief das Wasser. Weil die altersschwachen, vom Staub erblindeten Heiligen Franziskus und Clara an den Wänden des Gotteshauses Hochwürdens Stoßgebete nicht mehr erhören konnten, wandte sich dieser an das kgl. Rentamt in Günzburg. Zu seinen 270 Burlafinger Schäfchen stießen ab 1811 rund 100 Katholiken aus dem gerade gegründeten „Ulm diesseits der Donau", unter ihnen der Gasthofbesitzer Franz Vollmann, die Landrichtersgattin Amalie von Bentele und Johanna Wergetter, „K. baier. Maut- und Hall Oberamts – erste Manual Führerin".[1] Mit seinem schäbigen, gebrechlichen, auch viel zu klein gewordenen Kirchlein würden sie ihm bald abtrünnig werden. Doch hinter Günzburger Behördenschaltern stieß Blankenhorn auf Unverständnis.

Da nahm der liebe Gott selber die Sache in die Hand. Als am 10. Januar 1819 zwischen fünf und sechs Uhr früh des Lehrers Frau das Gebet läutete, rüttelte ein Sturm solange an dem mageren Türmchen, bis ihm die Spitze abbrach. Die Schulmeistersgattin kam mit dem Schrecken davon, aus St. Jakob quoll roter Ziegelstaub: das Blut von einsturzgefährdeten Mauern.

Thaddäus Blankenhorn schien am Ziel seiner Wünsche zu sein: Noch im Juli 1819 wurde der Turm abgetragen, am 7. April 1820 begannen die Maurermeister Baur aus Günzburg und Schmid aus Oberelchingen mit dem Neubau. Den

Wieland das halbe Dorf in Brand steckte;[3] wie in der Nacht auf den Weißen Sonntag des Jahres 1897 die alte Pfründnerin Christina Schick, genannt „die alt Albern“, von ihrem Schwiegersohn hingemordet wurde; wie anno 1903 die Gründungsversammlung der „Eintracht“ in eine wüste Wirtshausschlägerei ausartete und Amtsbruder Friedrich Heine 1933 den von ihm gegründeten Katholischen Männerverein und Burschenverein ohne Genehmigung des Bischofs auflöste, um der SA, Adolf Hitlers Sturmabteilung, nicht die Kundschaft wegzuschnappen. Armes Burlafingen[4]! Da die Vergangenheit alles andere als romantisch war, gibt es kaum jemand in dem Ort, der sich ihr bewußt und emphatisch zuwenden würde. Das Neue erscheint einem Burlafinger immer besser als das Alte. Wer weiß noch etwas vom Duft und Blühen der Apfelbäume, vom Summen in den

ganzen Winter über hatten Burlafingens Bauern mit dem Fuhrwerk die Backsteine aus Günzburg, Kötz und Leipheim hergekarrt, ohne dafür auch nur ein Trinkgeld zu erhalten. „Der König oder vielmehr die königliche Regierung“, wurde Bittsteller Blankenhorn mitgeteilt, „gebe kein Trinkgeld, seien die Untertanen keine Fuhren schuldig, so solle man ihnen dieselben bezahlen, seien sie aber solche schuldig, so müsse alles unentgeltlich geschehen.“

Diese Absage war der Auftakt zu weiteren Niederlagen. Blankenhorns Traum, die Augen der Kirchgänger mit dem Schmelz der Farben schönster „al fresco“-Malerei zu beglücken, zerrann. Meister Konrad Huber aus Weißenhorn, seines Zeichens „fürstlich öttingischer Hofmaler“, entschuldigte sich: Wegen seines Alters - 70 Jahre - und seiner Gesundheit übernehme er keine Fresko-Malerei mehr; er habe sich ganz aufs Ölmalen verlegt.[2] Sein Künstlerkollege Benedikt Walser aus Söflingen blieb im Stümperhaften stecken. „Ist leyder schlecht ausgefallen“, lautete das vernichtende Urteil des Auftraggebers. Entschuldigen ließ sich auch der Bischof: die Weihe des neuen Gotteshauses mußte am 12. Oktober 1820 Pater Julian Edelmann vom ehemaligen Kloster Oberelchingen vornehmen.

Wären nicht die Frösche gewesen, die allabendlich im Schilf am Weiher vor dem Pfarrhof die Noten für ihr Nachtkonzert verteilten, hätte Thaddäus Blankenhorn glauben müssen, der Schöpfergott hätte Burlafingen ganz aus den Augen verloren. Ein Glück, daß der Pfarrer - er starb 1835 - nicht mehr mitansehen mußte, wie anno 1854 der 18 Jahre alte Sohn des Ortsvorstehers

Linden, von den Beerensträuchern und Hollerbüschen, von den Birnen am Spalier, das die Hauswand vor der Mittagssonne schützte? Die in Anstand gealterten Mauern verschwinden innerhalb einer Woche hinter öden Asbestzementplatten. Auf den Kellersockeln klebt buntes „Metzger-Mosaik“. Die Eingangstür aus reflektierendem Riffelglas hängt in protzigen Aluminiumrahmen. Das Balkongeländer wird mit einem Kunststoffwulst aus imitierender Holzmaserung abgedeckt. Vor den Fenstern rasseln die Plastik-Jalousien.

Und am Wochenende, während die Kinder gebadet werden, schert der Burlafinger mit einem superstarken Zweitaktantriebsmäher seinen Teppichrasen. □

[1] Ihre Grabdenkmäler sind heute noch an den Außenwänden von St. Jakobus zu sehen. Pfarrer Blankenhorn hatte zu ihren Lebzeiten einige Mühe mit ihnen. „Von Neu-Ulm“, so beklagte er sich einmal, „kommen immer solche Personen in die Kirche, die beim Gottesdienst eine ordentliche Kirchenmusik suchen und wünschen.“

[2] Daß Blankenhorn über die weißen Wände seiner neuen Kirche eine verschwenderische Dekoration ausgießen wollte, rührte den Weißenhorner so sehr, daß er 1822 dann doch Hand an zwei Bildnisse legte. Für ein Honorar von 25 Gulden malte er die Heiligen Joseph und Xaver.

[3] Der Zündelei fielen 17 Häuser zum Opfer, insgesamt 28 Firste wurden eingeäschert.

[4] Wie der verständige Leser bereits bemerkt hat, ist mit „arm“ nicht „mittellos“ gemeint. In der zweiten Hälfte des letzten Jahrhunderts brachten es einige Burlafinger sogar zu prall gefüllten Sparstrümpfen. Mit Stolz notierte anno 1932 Bürgermeister Andreas Berchtold, daß „im Ort zwölf Vierspänner waren, also Bauern, die sechs und mehr Pferde besaßen sowie Grundstücke von 100 bis 170 Tagwerk“.

Der Sanierungskahlschlag hat sie noch nicht ganz blindgemacht: Vorort-Fenster

Steinheimer Pastorale

Ein Blick unter den Rocksaum Steinheimer Geschichte

Von einer verfluchten Grafentochter, dem Hokuspokus zweier Wunderheiler und einem Paradiesgärtlein schwäbischer Sprache

Vor fünfzehn Jahren gackerten noch die Suppenhühner auf den Straßen. Doch hart bedrängt von den Autos der Stadt, haben sie die Flucht in ihren Stall angetreten. Der Steinheim-Freund ballt die Fäuste und stille Tränen rinnen in seinen Bart. Die traurige, aber unbestreitbare Tatsache, daß die Welt immer mehr zum lärmenden Dorfplatz zusammenschrumpft, auf dem Nachrichten über jeden und alles gehandelt werden, machte natürlich auch nicht vor dem Bauerndorf am Ostufer der Leibi halt. Es gehört heute zu den bestgelüfteten Geheimnissen, daß im Wirtshaus „Zum Lamm" in der Buchbergstraße hin und wieder die Stubenmusik vom Lingl Sepp aus Holzheim aufspielt, der Illertisser Dreigesang in schwäbischen Notenbüchlein blättert und Lisbeth Klement, die Herrin über Küche und Wirtsstube, am Karfreitag grüne Krapfen serviert. In das anheimelnde Summen in die Länge gezogener schwäbischer Nasale mischt sich unterdessen auch das Stakkato schriftdeutscher, um nicht zu sagen: preußischer Laute.[1)]

Steinheim, das ist ein Stück „sozialen Grüns", in dem die moderne Unbehaustheit Rast und Ruh findet, auch wenn sich das Bild des Dorfes auf das Idyll des Dorfgasthauses beschränkt. Der Neu-Ulmer Heimatdichter Georg Wagner[2)] scheint um die Jahrhundertwende wunderbare Tage beim Wirt des „Ochsen", Jakob Zimmermann, verlebt zu haben:

Wie ma des Männdle hot begraba
Ischt äll's gwea traurig und betrüebt;
Denn – wärrle! – in dr ganza Gegad
Hot ma da „Brui von Schtoina" gliebt.

Ear hot au wohl v'rtraga könna
A Schpäßle so d'rzwischa nei;
Und d'Schtadtleut hant, so guet wie d'Baura,
Beim „Jäckele" kaihrt geara ei…

D'r Gascht, dear trinkt; d'r Wiert dear setzt se
Jetzt zu eahm na, fraugt nauch seim Schtand,
Nau kommt: 's Wohear? 's Wonaus? wie's moischtens
So Mode ischt halt auf 'm Land…

Es ist etwas herrlich Unblockiertes, Intimes, Heimatliches in all dem, ein Ausdruck menschlicher Nähe, die auch bei Lisbeth Klement, der Wirtin vom Lamm, nicht aus der Mode gekommen ist. Weil sie mit jedem Gesicht in ihrer Wirtsstube auf Duzfuß steht, bringt sie gleich, kaum daß man Platz genommen hat, ihre Zunge in hurtigen Gang, um sich auch bei dem Neuankömmling recht schnell auszukennen. So wissen Gast und Gastgeberin im Nu, woran sie sind.

Rätselhaftes gibt es immer noch genug in dem Ort, der schon vor 700 Jahren urkundlich erwähnt wurde. Einer alten Sage zufolge soll einige hundert Meter nördlich des Ortes, auf dem Buchberg, der Teufel sein Unwesen treiben. Vor langer Zeit stand dort eine Burg, die von Grafen bewohnt war. Einer von ihnen besaß zwei Töchter, die eine blind, die andere sehend. Als er sein Ende herannahen fühlte, trug er der Sehenden auf, das Erbe gerecht aufzuteilen. Doch sie dachte gar nicht daran. Kaum war der Graf tot, riß sie den größten Teil des Vermögens an sich, den kümmerlichen Rest gab sie ihrer blinden Schwester. Seit dieser Zeit geht sie als weißes Fräulein auf dem Buchberg um, heute noch darauf wartend, daß sie ein mutiger Spaziergänger aus den Klauen des Satans befreie. Ein Schmied aus Nersingen will es einmal probiert haben. Er faßte sich ein Herz und folgte ausgreifenden Schrittes der weißen Spukgestalt. Plötzlich senkte sich der Boden und ein langer, stockfinstrer Gang öffnete sich vor ihm. Nie gesehene Ungeheuer lauerten ihm dort auf: ein riesiger Hund mit zornsprühenden, tellergroßen Augen und einer feurigen Zunge, dann eine Schlange, die zischend und fauchend ihm entgegenschnellte. Furchtlos tastete er sich weiter vor, bis ihm eine Tür aus schwerem Eisen den Weg versperrte. Er rannte mit aller Wucht gegen sie an, sie sprang auf, und vor ihm saß, die Pranken zum Zuschlagen bereit, der Teufel. Der Schmied glaubte sich schon gepackt und brüllte: „Um Gottes willen, Herr Gott, hilf mir!" Eine unsichtbare Hand schleuderte ihn nach oben, und ehe er sich's versah, lag er rücklings auf dem laubbedeckten Waldboden. Weil er seinen Mund aufmachte, blieb das weiße Fräulein unerlöst. Die Menschen, der mythischen und magischen Sphäre entrückt, scheinen kaum mehr Notiz von der Grafentochter zu nehmen. Die Dämonie freilich dauert fort.

Der Glaube an die Existenz übersinnlicher Wesen, an die Kraft des Segnens und Verfluchens grassierte in Steinheim bis in unser Jahrhundert. Landauf, landab war der 1852 geborene Johann Gerstlauer, der alte „Steara", als Wunderheiler, „Blaser", bekannt. Bis aus Günzburg, Memmingen, Illertissen und Krumbach kamen die Leute angereist, um sich von ihm von Warzen und Eingeweidewürmern befreien, das Grimmen in der Bauchgegend wegblasen oder das Blut stellen zu lassen. Daneben hatte er auch allerlei „approbierte" Zaubersprüche auf Lager, die den ehelichen Frieden wiederherstellten, die Milchdiebe vom Stall fernhielten, Mäuse aus den Scheuern vertrieben oder wilde Pferde zähmten. Ja, er wußte sogar, Hexen zu bannen und böse Geister zu verscheuchen.[3)] Ein rechter Quacksalber und ein Steinheimer Original dazu war auch Schuhmachermeister Johann Straub. Meister Pfriem sammelte ein Gütlein nach dem anderen, und weil die Flickschusterei und der Handel mit Reit- und Halbstiefeln nicht genug abwarfen, ließ er sich als Wunderdoktor nieder. Kaum eine Krankheit aus dem Lehrbuch der Inneren Medizin, bei der Straub mit seinem Latein am Ende gewesen wäre.
Von der Wurmplage befallene Patienten heilte er unter Anrufung Jerusalems:
„O Jerusalem, du jüdische Stadt,
in welcher Jesus Christus gewohnet hat,
die nun wird zu Wasser und Blut,
ist für Würm und Darmgicht (=Kolik) gut."
Meldete sich in seiner Praxis jemand mit Bauchschmerzen, drückte er ihm den rechten Daumen in den Nabel und murmelte:
„Gebärmutter, sei guten Muts!
Gebärmutter, du Magenwurm!
Reiß mein Herz nicht gar ab,
leg dich nieder in das Grab!"
Und sickerte Blut aus einer Wunde, raunte er dem Verletzten ins Ohr:
„In der Stund', da der Schnitt, Hieb oder Stich geschah
und die Heilige Jungfrau Muttergottes ihren Sohn gebar,
so soll der nicht schwären, nicht schmerzen, nicht bluten,
nicht branden,
bis die Muttergottes ihren Herrn Sohn gebar."

1) Spätestens jetzt versteht man, warum die Stammgäste gerne Schlagbäume an den Zufahrtsstraßen nach Steinheim sähen. Woher soll Wirtin Lisbeth denn die vielen Zwiebelröhrchen für die Maultaschen hernehmen, wenn die Karfreitagsgäste Schlange sitzen? Woher der Lingl Sepp die Einfälle, wenn immer noch mehr Leute an dem Becher stubenmusikantischer Fröhlichkeit nippen?
2) Damit die Neu-Ulmer ihrem genialen Wagner Schorsch nicht länger mit tiefem Unwissen gegenüberstehen, hat er in diesem Buch ein eigens ihm gewidmetes Kapitel erhalten.
3) Obwohl der alte Steara ganz hübsch Geld verdiente mit seiner Heilkunst, schien er selber von seinen Qualitäten nicht so recht überzeugt zu sein. Als er in den 20er Jahren einmal krank zu Bette lag, fragte ihn der damals in Steinheim wirkende Lehrer Karl Nonnenmacher, ob er sich denn nicht selber helfen wolle. „O noi", wehrte der stets krächzende Steara ab, „i be net so eifälti, i gang zum Doktor, der verschtoht sei Sach!"

Birgt barocke Stuck- und Holzkassettendecken in seinem Inneren: das größte der drei ehemaligen Patrizierschlösser Steinheims

Steinheim läßt die Kirche im Dorf. Wahllos und planlos geht hier nicht viel. Die Wege sind kurz. Nicht Aussicht in die Ferne, sondern Nähe wird gesucht und Nachbarschaft.

Der Zaun muß nicht der Wasserwaage folgen, Fenster dürfen noch Sprossen haben, Fassaden ihren alten Anstrich behalten.

Spätgotischer Bau von 1470: die evangelisch-lutherische Pfarrkirche Sankt Nikolaus.

Geh weiter, Zeit, bleib stehn!

Sogenannte Blaser gab es einst im ganzen Ulmer Land. Im Kirchenvisitationsbericht aus dem Jahr 1699 beklagt sich zum Beispiel der Pfarrer von Bernstadt, daß seine Schäflein ganz ohne Scheu Segensprecher für Mensch und Vieh zu Rate ziehen, weil die Arztkosten hoch und der Pater Hexenmeister von der Reichsabtei Elchingen so nah seien. Auch in Ulm hielt man große Stücke auf heilkünstlerischen Hokuspokus: Im Gasthaus „Pflug" hielt jeden Samstag Wunderdoktor Jakob Häfele aus Kirchberg an der Iller Sprechstunden ab, um die Städter von ihren Wehwehchen zu befreien.

Warum der Beschwörungszauber ausgerechnet in Steinheim eine besonders üppige Treibhausblumenpracht entfalten konnte, ist so leicht nicht auszumachen. Mag sein, daß die religiösen Wirren des 17. Jahrhunderts den Sumpfboden dafür bereitet haben. Steinheim, das damals nur etwas mehr als 100 protestantische Seelen zählte, wurde mit einem Schlag konfessionelle Insel. Und das kam so: Seit langem schon trachtete Holzheims österreichischer Landesherr, der Markgraf von Burgau, den lutherischen Prediger, der gleichzeitig für Steinheim zuständig war, loszuwerden. Am 29. Januar 1627 erschien plötzlich im Auftrag Erzherzog Leopolds der Rentmeister von Günzburg mit einem Trupp Soldaten vor dem Pfarrhaus, zerrte den evangelischen Pfarrherrn Johann Wilhelm Mayer samt Frau und drei Kindern ins Freie und ließ sie auf einem Fuhrwerk auf ulmisches Gebiet karren, in den Spital-Ort Steinheim.[1)]

Holzheim wurde über Nacht wieder katholisch. Steinheim aber war jetzt von einem Kranz katholischer Dörfer umzingelt, vereinsamte, wurde verachtet, sogar verfemt. Es schmorte fortan im eigenen Saft, stets an seinem Glauben, aber auch am Aberglauben festhaltend.

Doch ein irdisches Jammertal scheint die Insel Steinheim nie gewesen zu sein. Der Ulmer Gymnasialprofessor Johann Herkules Haid, um 1780 herum auf Geländeerkundung im ganzen Ulmer Land, geriet ins Schwelgen: „Das Dorf selbst hat den herrlichsten Fruchtboden, auf welchem die schönsten Feldfrüchte und auch viel schöner Flachs gewonnen wird. Der Boden ist warm, und da auch das Clima sehr milde ist, so wird hier allemal acht bis vierzehn Tage früher als in den Feldern um die Stadt die Ernte angefangen." Und: „Auf Wohlhabenheit läßt schließen, daß der Feldbau meist mit Pferden betrieben wird." Die Rösser waren der ganze Stolz der Steinheimer Bauern, die bald im ganzen Gäu als Pferdezüchter bekannt waren. 30 und mehr Fohlen kamen pro Jahr in ihren Ställen zur Welt. Um 1880 war die Beschälstation auf dem damaligen Rauenbeurischen Anwesen. Später wurde der Mangenbauer bei der Kirche Hengsthalter und blieb es bis 1939. Zuchtziel war das rheinisch-belgische Kaltblut. Geradezu legendären Ruf genossen zu Beginn unseres Jahrhunderts die zwei Rappen des Molkereibesitzers und Schweinehändlers Leibing. Für die Wegstrecke nach Ulm brauchten die Deichselgefährten nur 20 Minuten. Wo immer der Viehhändler mit seinem Gäuwagen einlief, in Krumbach, Illertissen, Dillingen oder im Württembergischen drüben, war er gleich von Neugierigen umringt. Doch das monoton tuckernde Dieselroß verdrängte die Gäule. Steinheims letztes Pferd, das im Dienst eines Bauern wieherte, stand im Stall des Johann Ihle, des wohl erfolgreichsten Züchters. Aber das ist jetzt auch schon zwanzig Jahre her. Ob Bauer oder Handwerker, ein Steinheimer versteht zu wirtschaften. Vom alten Wangler Jakob Schmid erzählt man sich, er habe die Goldfüchse nur so im Hosensack gehabt und mit ihnen geklimpert. Daß ihm des öfteren ein goldener Zehner oder Zwanziger herausfiel, soll ihn wenig bekümmert haben.[2)] Neben dem Handwerk verstand sich der 1851 geborene Kesslermeister auch prächtig auf das Mundwerk. Schimpfen und Wettern waren ihm stets eine genußreiche Betätigung. Als der schon etwas müde gewordene alte Oberlehrer Johann Drechsel eines Sonntags den Choral auf seiner Orgel sehr schleppend und zaghaft begleitete, brüllte der Wangler von der Männerempore herüber: „I zuih de glei ra, wenn du et woisch, wia ma schpielt!" Die Freude am Wortschöpferischen verließ ihn auch nicht, nachdem ihn Mitte der 20er Jahre ein Schlaganfall einige Zeit ans Bett fesselte. „Herrgott, siadige nei", begrüßte er im Sommer 1927 den Lehrer Karl Nonnenmacher, „ja sui bsuachet mi! Heidanei, hant se koin Revolver em Saak, dann verschuißets mi, no isch der Kerle aufgrammet, verrecka ka er ja so net!"

Die Rede ist drastisch in dem Bauernhof an der Leibi. Um die Dreschflegel im Takt niedersausen zu lassen, skandierten die Steinheimer folgenden Reim:

Äpfelschnitz und Biaraschnitz,
dui dörrt ma auf'n Wenter.
Ond wenn mei altr Schatz verreckt,
dann führ en na zom Schender.

Im Schweiße ihres Angesichts warfen die Drescher sogar ihre Scheu vor dem Geschlechtlichen, dem angeblich tierischsten aller menschlichen Urtriebe, über Bord, wie dieser Reim illustriert:

Wenn 's Wirtshaus a Kirch wär
ond d' Kellnere a Altar,
nao möcht i bloß Pfarrer sei
auf druiviertel Johr.

Unser nächstes Verschen soll belegen, wie Pfiffigkeit und praktischer Sinn in das Gebiet des Eros eindringen:

's isch no net lang, daß greagnet hat,
dui Beimla send patschnaß.
Etz haon i wieder an nuia Schatz,
etzt alter lecksch me am Asch.

Wie wenig man hierzulande von Galanterie hält, verrät jener Spruch, mit dem einst die Steinheimer Jugend auf Hochzeiten oder Tanzunterhaltungen die saumselige Musik angefeuert haben soll:

Von Stoina nach Holza (= Holzheim),
dao isch a groaßer Toich.
Dao wäschet dui Mädle
ihre dreckiga Bäuch.

Geradezu zartfühlend wirkt dagegen der Vierzeiler auf einer Ofenkachel[3)], in den ein Steinheimer seinen sündhaften Tatendrang kleidete:

Guata Aubad, Lisabeth,
sag mir, wo dei Bettlad steht.
Henterm Ofa en dem Eck,
wo dr Bauer da Fuaß naschtreckt.

Die Neigung zu deftigen Sprachbildern wird in Steinheim an Kind und Kindeskinder weitervererbt. Man muß nur in der Wirtsstube vom Lamm die Ohren aufsperren, wenn drüben am Nebentisch zwei gutmütige Lederapfelköpfe zusammenstecken, um bruttelnd und polternd die Chronik der laufenden Ereignisse durchzuhecheln.

Die Sorge der Steinheim-Freunde ist begründet. Wer weiß, wie lange es noch dauert, bis der sich alles anverwandelnde Sprachzentralismus mit seinen Bulldozern auch dieses Sprachparadies untergepflügt hat. □

[1)] So genannt, weil das Ulmer Spital der Ortsherr von Steinheim war.

[2)] Dem Kenner schwäbischer Seele geht das nicht so recht in den Kopf, ist doch der Schwabe eher „b'häb", das heißt: stets bestrebt, sein Sach zusammenzuhalten. Des Rätsels Lösung liegt wohl in der betäubenden Wirkung des Alkohols, dem der Wangler nicht ungern zusprach, beklagte er sich doch einmal: „Dui Ochsamill sauf i für mei Leaba geara, wenn no dui verfluchta Rentamark net wär!"

[3)] Der Lehrer Karl Nonnenmacher hat einige dieser Ofenkacheln aus dem Schutthaufen in der alten Kiesgrube gerettet. Im 18. Jahrhundert mußten sie auf obrigkeitlichen Befehl an der Wand hinter dem Ofen angebracht werden, um Feuersbrünste zu verhindern. Beim Puzzle-Spiel mit Scherben entdeckte Nonnenmacher folgenden Ofenspruch:

Die Herren reiten durch die Welt,
sie haben ja vom Bauern Geld.
Bauern Arbeit, daß Gott erbarm,
macht Herren reich und Bauern arm.

Im Schutt vergraben blieb jene Steinheimer Ofenkachel, auf der geschrieben stand:

Die Weiber, das Wasser und das Feuer,
das sind drei große Ungeheuer.

Das im Nordwesten Steinheims gelegene Schloß wurde 1619 für den Ulmer Patrizier Albrecht Schleicher und seine Frau Magdalena, geb. Neubronner, erbaut. Seit 1870 dient es als Bauernhof. Bemerkenswert – vor allem nach dem Verlust vergleichbarer Arbeiten in Ulm – ist die reiche Sgraffito- und Kratzputz-dekoration.

D'Metzelsupp
„He! Metzelsupp ischt huit!" so schreit
A Wiert zom Feanschter naus.
„Ja", sait dr Hans, „i hauns scho gseah:
Dr Saukopf guckt ja raus!"

Der Mundartdichter und Komponist: Georg Wagner

Wenn es sein muß, sind die Schwaben von schlagfertiger Grobheit, hinter der sich allerdings ein weiches Gemüt versteckt. Ein Paradebeispiel für diesen Lehrsatz schwäbischer Charakterkunde liefert der Autor obigen Gedichtchens: Johann Georg Paul Wagner, von 1877 bis 1911 Lehrer, Dichter, Komponist und Dirigent in Neu-Ulm. Am 27. Juli 1853 wurde der Wagnerjörg in Nördlingen geboren. Als er sechs Wochen alt war, zog die Familie nach Möttingen, wo der Vater die Stelle eines Eisenbahnhaltestellers erhielt. Im Stationsgebäude fand sie ein Dach über dem Kopf. Gegenüber der Eingangstüre lag die Küche; rechts davon ein kleines Privatzimmerchen, in dem Eltern und Schwestern schliefen, links von der Küche die sogenannte Wartestube, Büro, Wohnraum und – Schlafzimmer des kleinen Schorsch. Jeden Morgen zwischen sechs und sieben Uhr, so erinnert sich der Dichter in seinen Jugendskizzen, „war die Wartestube regelmäßig dicht besetzt von Degginger Juden, mehreren Bauern und Geschäftsleuten, die sich gegenseitig im Rauchen ihres niederträchtig stinkenden Dreikönigsknasters zu übertreffen suchten; sie unterhielten sich meist sehr laut über dieses und jenes, wovon ich gottlob! nicht sonderlich viel verstand". Und wenn die Wagners am großen, runden Eichentisch ihre Mahlzeiten einnahmen, „guckten uns stets ein Halbdutzend Handwerksburschen und Flochberger Schinder in den Mund".

Bei Erntearbeiten, die in der kleinen Ökonomie des Vaters anfielen, erwies sich der Bub als „recht fauler Schlingel". Viel lieber jagte er mit seinem Leiterwägelchen durch den Straßenstaub, wühlte in Lehmlöchern herum, streifte durch die Kornfelder, kletterte auf Bäume oder fing im Weiher hinter dem Haus Frösche und Molche. „Du storrhaariger Blitz!" rief mal ein Bauer, auf Georgs Haarpracht etwas unzart anspielend, hinter ihm drein, als er dessen weißfarbenen Stier mit Morast aus einem Graben bewarf.

Am liebsten lag er still träumend unter „den von lieblichen Mailüftchen umrauschten" Bäumen und wartete, bis die Erdmännchen aus ihrer Wurzelbehausung hervorkrochen. „Sie raunten mir gar süße Geheimnisse der Unterwelt ins Ohr und erzählten mir von herrlichen Schlössern und diamantenen Palästen, von zauberhaften Gärten mit Wunderbäumen, auf deren Zweigen sich tausend goldene Papageien schaukelten".

Sein Vater kroch mit ihm auf allen Vieren unter Maulbeerstauden, um ihm Blaukehlchen und Wiedehopf zu zeigen, fesselte ihn mit fantastischen Tiergeschichten und schaute staunend mit ihm in den bestirnten Nachthimmel.

Zeit seines Lebens blieb der Wagnerjörg empfänglich für den suggestiven Zauber der Erscheinungswelt. In dem Möttinger Mikrokosmos ist das ganze Feuerwerk von Witzen und empfindsamen Idyllen, von gedrechselten Wortspielen und volkstümlich-derben Anzüglichkeiten, von seligen Melodienreigen und romantischen Orgelakkorden eingeschlossen, das der Dichter und Komponist Georg Wagner in Neu-Ulm abbrannte.

Am 1. November 1877 kam er als Volksschullehrer in die bayerische Grenz- und Frontstadt: eine Goldader im Geröll der bleistiftgewordenen Einmaleinsknechte, die damals den Gang der Pädagogik in den Schulstuben bestimmten. Zwei Generation Neu-Ulmer lernten bei ihm die Bahnlinie von Lindau bis Hof, zeichneten Feldrittersporn und Tausendgüldenkraut, paukten die Ruhmestage siegreicher deutscher Armeen, wärmten ihr Gemüt am Balladenschatz großer Dichter und meisterten die Hürden in Rechnen und Raumlehre. Gegen die Mühen des Lehrerdaseins wappnete sich Georg Wagner mit einer Prise Schnupftabak aus Lina Schusters Viktualienhandlung an der kleinen Donau und – mit Eselsgeduld.

In de moischte Oart und Öartle
Wäret d'Kinder gwiß net domm;
Doch, wann d' predigscht tausend Wöartle,
Gant neunhondert neaba nom;
Und dr Rescht, dear fällt dr nau
Wia oft no auf Heu und Schtrauh!

Tausend Wöartle hoscht verlaura,
Tausendmaul hoscht 's Gleich scho gsait;
Ja, dau möchtescht glei voar Zaura
Naus, wo's gar koi Loch net geit.
Und nau muascht, mei lieber Ma',
Fanga wieder voarna a.

Die Tabaksdose war für den Wagner Girgl, was uns heute die Pillenschachtel mit dem Tranquilizer ist. Er war ein talentierter Schnupfer, wie einer seiner Schüler, der Neu-Ulmer David („Vide") Walter, zu erzählen weiß:

Konschtvoll hat'r saubre Türmla
Sich ens Daumaglenk nei gsetzt,
Naufdruckt onter d' Näseschirmla,
Mit'm Sacktuach d'Näs a'gwetzt.

Sonntags hat'r emmer traga
So a Phantasiewescht weiß,
Dia am Bauch hat Ronzla gschlaga
Ond des war dr Schnupfbeweis,
Denn, was d'Näs net hat verschluckt
Hat sich en dia Falta druckt.

Wenn'r obens heim ischt emmer,
So, wia ischt dr Bürgerbrauch,
Hat ma gseah no so em Dämmer
Sein schwarzweiß quergschtroifta Bauch,
Daß ma gmoit hat so ogfähr,
's käm a Zebra no drher.

Daneben war Wagner auch noch ein exzellenter Vogel-, Schmetterlings-, Pflanzen- und Mineralienkenner und als solcher ein Meister an vielen Kathedern. Im Nebenamt wirkte er auch noch an der Realschule, an der gewerblichen Fortbildungsschule und Kapitulantenschule des 12. Infanterieregiments. Nachmittags sah man ihn zum Musikunterricht eilen. „Und wenn ich es im Violinunterricht nicht über den Durchschnitt hinausbrachte", bekennt sein Schüler Arthur Benz, ehemals Heimatpfleger in Neu-Ulm, „so war gewiß nicht seine Lehrmethode schuld, sondern vielmehr mein größeres Interesse an dem Terrarium mit Schildkröten und Schlangen und an dem verwirrenden Gesang hunderter gefiederter Sänger in dem beinahe in einen großen Käfig verwandelten Übungszimmer." Abends strebte der Meister mit dem Jupiterbart, Haushaltsvorstand einer zehnköpfigen Familie, dem Dirigentenpulte[1] zu, komponierte Orgelstücke, Oratorien[2], Operetten[3] und Märsche[4], schnitzte Figürliches aus Lindenholz, präparierte Käfer und allerlei Kleintier oder schwang sich aufs Dichterroß. Immerhin brachte er es auf vier Gedichtbändchen[5], dabei immer an der Quelle schöpfend, die in der Übersetzung des aus dem Griechischen stammenden Wortes Dialekt aufglitzert: Redeweise, Unterredung, Gesprochenes. In seinen besten Gedichten überschreitet er die Schwelle von der kachelofigen Gemütlichkeit des Privaten zum Öffentlichen und kratzt mit spitzer Feder am Lack behördlicher Wichtigtuer.

Rücksichtsvoll
„Hair, in Neu-Ulm, dau hots scho Schtroaßa,
Daß d'schier net durkommscht durch die Schmier;
Trotz meine lange Wasserschtiefel
Bin i im Dreack versoffa schier."

„Dau hot ma extraschöane Lacha
Glau wie se sind – hoscht des net gschpannt?
Daß d' Säu, wau mier in d'Schtadt neitreibet,
A Gleagahoit zom Wärkla[6] hant."

Von der Mitgliederversammlung des Historischen Vereins wurde Georg Wagner am 1. Dezember 1907 zum Konservator des Heimatmuseums berufen. Zwei Jahre später zwingt ihn eine Beckennervenentzündung aufs Krankenlager. An Krücken gehend, bewegt er noch einiges, „schnitzt" an Gedichten in schwäbischer Mundart und schreibt seine Lebenserinnerungen nieder. Erst 57jährig, stirbt er am 21. Mai 1911.

A Erscheinung
Letzscht ischt dr ontr Müller gschtorba
Drom heult sei Weib jetzt so im Bett.
'S ischt au koi Wonder; denn a Witweib
Hot in dear Wealt a elends Gfrett.

„O, lieber Gott!" so seufzt und heult se,
„Wie ischt mir 's Hearz huit gar so schwer!
Mier ischt's, je maih i nauchdenk, ällweil,
Als ob 'r net im Hemel wär.

Acht Täg ischt's grad huit, wau ear's letzschtmaul
‚Adje' hot gsait toadmüed und matt –
O Hans, o gib mir doch a Zoicha,
Und sag' mrs, wie's dr droba gat!"

Auf oinmaul zoigt se – guete Goischtr! –
Dr Müllerhans im Hintergrund
Und brommt: „Mier gats dau hoba wärrle
Viel besser, als bei dier dau dront!"

„Gottlob! Nau bischt du doch im Hemel!"
Schreit d' Ann; – doch wie a dompfs Gebröll
Kommts rei beim hintra Kammerfeanschter:
„Noi, noi! I bin bloß in dr Höll!"

[1] Er war Leiter von vier Chören: „Sängergesellschaft", „Frohsinn", „Teutonia" und „Ostheim".
[2] Am bekanntesten wurde sein Oratorium „Die Geburt Christi".
[3] 1890 erlebte seine Operette „Gaudeamus igitur" im Ulmer Stadttheater ihre Erstaufführung.
[4] Für „In Treue fest" und „Den alten Zwölfern" wurde er von Bayerns König mit Brillantnadel und Meerschaumspitze ausgezeichnet.
[5] Ihre Titel: „Ade", „Luschtiga Reimereia aus'ra schwäbischa Reimschmiede", „Homseler" und „Schwartamaga".
[6] Wärkla = Wälzen

□

Von Steinheim unterwegs nach Finningen

Ein Ausflug nach Finningen

Von römischen Legionären, einem Steuerhinterzieher mit Heiligenschein und sinnenfrohen Ausbrüchen aus dem Alltag

Ein Aufschrei des Entsetzens ging durch die Schar der Zeitungsleser. Unter der Rubrik „Lokales von Neu-Ulm" berichtete der Neu-Ulmer Anzeiger am 20. August 1867:

„Aus einer zuverlässigen Quelle erfahren wir, daß in dem benachbarten Orte Finningen ein Mensch schon seit 23 Jahren im Schweinestall ohne Bekleidung und nur auf einem Büschel Stroh eingesperrt ist. Der Ulmer Schnellpost zufolge soll der Besitzer des Hauses, in welchem er gefangen ist, dieses mit dem Servitut gekauft haben, diesen Menschen bei sich zu behalten und zu ernähren, daß er aber seiner Pflicht auf eine solche Weise nachkommt, dürfte mit Recht eine gerichtliche Einschreitung zur Folge haben."

Wenn Finningens Ruf auf dem Spiel steht, ist es mit der Sauregurkenzeit in den Redaktionen der Lokalblättchen vorbei. Der wegen seiner Fernsicht über die Donauniederungen bei allen Naherholern berühmte Ort hat seine Gönner. Einige von ihnen ritten gleich geharnischte Attacken mit einer Gegenerklärung:

„Einige Bürger aus Neu-Ulm können nicht unterlassen, über das, was seit einiger Zeit die Blätter über den irrsinnigen und blödsinnigen Mathäus Inhofer in Finningen Falsches gebracht haben, berichtigend aufzutreten, da wir seit vielen Jahren vollkommen Kenntniß von dieser Sache haben und einige von uns in früheren Jahren in Finningen auch in Arbeit standen und auf Wahrheit, Recht und Ehre noch etwas halten, weßhalb wir erklären:

1) Daß die Behandlung, Ernährung und Pflege dieses Unglücklichen von Seite der Localarmenpflege in Finningen seit 21 Jahren der Art ist, wie die Zustände desselben es erfordern und zulassen und durch periodische Aufsicht seitens des k. Gerichtsarztes und des k. Bezirksamtes in Neu-Ulm gutgeheißen ist.

2) Ist es wahrhaft empörend für die Gemeinde Finningen, wenn Bürger aus Ulm, im Württembergischen, sich so frech einmischen in Angelegenheiten einer bayer. Gemeinde, und anstatt bei der rechtmäßigen Behörde in Finningen sichere Kunde hierüber zu erhalten, leidenschaftlich durch Lügen und Entstellungen die Gemeinde um Ehre und guten Namen bringen, sowie auch die höheren Behörden compromitiren."

Es mischte sich fortan keiner mehr frech ein. Finningen seinerseits tat alles, um die Scharten auszuwetzen. Das Dorf mußte sich die Lorbeerkränze nicht einmal selber flechten. Altertumsforscher waren es, die den Stoff für viele Träume von einstiger Macht und Größe lieferten. Lange Zeit hielten sie es für ausgemacht, daß Finningen das in dem spätrömischen Staatshandbuch „Notitia Dignitatum" erwähnte Pinianis sei: der Garnisonsort für 500 Infanteristen der 5. Valerischen Kohorte sowie einige Reiter der römischen Kavallerie. Doch den Ruhm, Standort der baumlangen und gutverdienenden römischen Legionäre gewesen zu sein, mußte sich Finningen bald abschminken. Zwar kam bei Grabungsarbeiten zwischen 1908 und 1914 um die Kirche herum eine dicke Mauer mit Gußwerk und mangelhaft geschichteter Steinverkleidung zum Vorschein, die erhoffte Kastellanlage indes blieb verborgen. Das zwei Meter dicke Mauerwerk waren die steinernen Überreste eines isoliert dastehenden spätrömischen Wachtturms, eines sogenannten Burgus, wie sie im vierten nachchristlichen Jahrhundert im Abstand von ungefähr zwei Kilometern zur Sicherung der Grenze gegen die Alamannen errichtet wurden.

Noch einmal flackerte die Römerbegeisterung wie ein Elmsfeuer auf, als um 1910 im Garten des Bauern Durst in 1,60 Meter Tiefe eine Art Straßenpflaster aus großen, aneinandergefügten Steinplatten freigelegt wurde. In archäologischen Fragen bewanderte Herren der historischen Vereine aus Neu-Ulm, Günzburg und Dillingen kamen herbeigeeilt, um in andächtiger Scheu in das Loch zu starren. Doch sie alle gingen einer Laune der Erdgeschichte auf den Leim: Die derben Kalksandsteine waren nichts anderes als Ablagerungen der brackischen Süßwasserseen des Tertiärs. Die ergebnislose Suche nach einer Festung gab natürlich den Finningern einen Stich ins Herz. Sie schmerzte aber auch alle Lateinlehrer der Stadt, fehlt ihnen doch seither ein wichtiger Motivationsschub für ihren Unterricht. Eine gewisse Belebung des Interesses an der lateinischen Sprache wäre zum Beispiel von Liebesbriefen zu erwarten gewesen, wie sie damals der Postbote in der Schreibstube von Garnisonen ablieferte:

Romanis utinam patuissent castra puellis!
Essem militiae sarcina fida tuae!

Auf deutsch: Daß doch uns Mädchen aus Rom die Festungen stünden geöffnet!
Wär' ich, solang du Soldat, gern doch dein treues Gepäck!

Finningen ist trotz alledem nicht von allen guten Geistern Roms verlassen. Bereits im letzten Jahrhundert wurde in dem Ort, der in so fotogener Pose auf dem Kugelberg hingebreitet liegt, ein römisches Weihegeschenk gefunden. Die in Finningen ansässige Römerin Paternia bedankte sich mit einem bronzenen Votivtäfelchen, das ursprünglich wohl den Sockel einer kleinen Figur zierte, bei einem himmlischen Beiständer: „Nach einem Gelübde löste es Paternia gern und freudig nach Gebühr ein." Wer weiß, ob der dazugehörige Tempel nicht bei den neuen Grabungsarbeiten, die schon bald beginnen sollen, ans Tageslicht kommt. Vielleicht stoßen die Archäologen dabei auch auf Reste einer Siedlung, von deren Existenz römische Münzen aus vier Jahrhunderten künden.

Und da ist auch noch der unter Kaiser Claudius um 50 nach Christus von Legionären und Veteranen erbaute Eulesweg[1)], Teil der berühmten Donau-Südstraße und Verbindungsweg zwischen den Kastellen in Unterkirchberg und Günzburg. Als flacher Damm zieht er durch das ganze Finninger Ried bis zur Memminger Straße.

[1)] Kreisheimatpfleger Horst Gaiser führt den Namen zurück auf „Einriss Weg", was besagen soll, daß der Weg mit einem Karren, „einrössig" bespannt, befahren werden konnte. Gleichwohl muß auf ihm reger Straßenverkehr geherrscht haben, wurden doch etliche Radnabenstifte von römischen Fuhrwerken gefunden.

Bilder rechts:
Thema mit Variationen: Der Turm von St. Mammas in Finningen mit seiner achtkantigen Zwiebelhaube.

KODAK SAFETY FILM 5036
KODAK SAFETY
SAFETY FILM 5036
SAFETY FILM 5031

In Finningens Fluren: Zeichen des Glaubens

Die römische Vergangenheit ist Bildungsgut eines jeden Finningers, kaum daß er dem Sandkastenalter entwachsen ist. Alte, wurzelechte Bauern erinnern sich vielleicht noch der sentimentalisch versponnenen Strophen des 1820 in Lindau geborenen Gedichtebastlers Hermann Lingg, mit denen einst Dorfschulmeister längst Versunkenes in die Regionen des Unvergänglichen zu heben versuchten:

Man spricht im Dorf noch oft von ihr,
Der alten drauß' im tiefen Walde,
Sie zeige sich noch dort und hier,
Am Feldweg und am Saum der Halde.

Sie zieht herauf und steigt hinab,
Es weidet über ihr die Herde;
An ihrer Seite manches Grab:
So liegt sie drunten in der Erde.

Es führt ob ihr dahin der Steg;
Der Pflüger mit dem Jochgespanne,
Geht über ihren Grund hinweg,
Und Wurzeln schlägt auf ihr die Tanne.

Der Römer hat sie einst gebaut,
Und ihr den Ruhm, die Pflicht, die Trauer,
Der Gräber Urnen anvertraut,
Und seines Namens ew'ge Dauer.

Reden ist Silber, Schweigen ist Gold. Mit der frohen Botschaft, daß sie in ihrer im Kern spätgotischen Kirche den Schutzheiligen der Steuerhinterzieher verehren, halten die Finninger – man könnte es sich ja mit der Obrigkeit verderben – hinter dem Kugelberg zurück. Eine Ikone im St. Mammas-Kloster in Morphou auf Zypern, wo der Heilige der Legende zufolge in einem Marmorsarg strandete, zeigt Finningens Kirchenpatron rittlings auf einem Löwen. Just in dem Moment nämlich, als ihn der Statthalter verhaften wollte, weil er sich stets beharrlich weigerte, die byzantinische Einkommensteuer zu bezahlen, sprang ein Löwe aus dem Busch und fiel ein Lamm an. St. Mammas erhob einhaltgebietend die Hand, schulterte das Lämmchen, bestieg den Löwen und ritt mit ihm davon. Ein Wunder kommt selten allein: Voller Erstaunen erließ der Steuereintreiber dem Heiligen auf Lebenszeit alle Abgaben an den Fiskus.[1]

Nach Finningen kam der frühchristliche Märtyrer über das Bodenseekloster Reichenau, das ihn ebenfalls verehrt. Die Reichenauer waren seit der Karolingerzeit in und um Ulm reichlich begütert. In einem Hof östlich der Kirche errichteten sie zu Beginn des 14. Jahrhunderts ein landwirtschaftliches Mustergut und bescherten dem Ort damit (auf Pergament) die erste urkundliche Erwähnung (1318). Durch eine Stiftung kam dann das Karthäuserkloster Buxheim bei Memmingen in den Besitz des Kirchensatzes zu Finningen, worauf die Pfarrei 1440 vom Bischof von Augsburg der Karthause „inkorporiert" wurde. Die Buxheimer wurden durch systematischen Immobilienerwerb Herren in dem katholischen Ort und blieben es, bis ihn 1782 Kaiser Joseph II. zum vorderösterreichischen Kreisdistrikt Burgau zog, der seinerseits 1805 bayerisch wurde. Im weiß-blauen Rautenmosaik der Grenzstadt Neu-Ulm ist Finningen – nicht nur seiner ausgesuchten Lage wegen – eines der schönsten Steinchen. Seine Bewohner gelten als dekorativste Spezies des Neu-Ulmers. In einer Art defensivem Patriotismus halten sie fest an alten Abmessungen des Lebens, an kirchlichen Festkreisen und Bräuchen, diesen sinnenfrohen Ausbrüchen aus der Formlosigkeit des Alltags.

In Finningen gibt es sie noch: die „luschtiga Fasenacht" mit Kinderumzug, Krapfen und Küchla; das Funkenfeuer mit Spott- und Ehrenscheiben; die kunstvoll verschlungenen, kronenartigen Palmbuschen, mit denen die Kinder am Palmsonntag in die Kirche gehen; die aus der Fülle der Gärten geschichteten Pyramiden beim Erntedankgottesdienst in St. Mammas; das Kochen und Backen, Fegen und Bürsten in allen Kammern und Küchen, wenn am Kirchweihsamstag nachmittags um drei Uhr die Kirchweihfahne, der „Zachäus", am Turm erscheint[2]; die Martinsnacht mit Pfänderspielen, Sterngucken, Krapfen und Most; den bärtigen Nikolaus, der hoch zu Roß von drauß' vom Walde ins Dorf einzieht; und – am darauffolgenden Donnerstag – den Klopferstag, einen jahrhundertealten Lärmbrauch, der nach Schmellers Bayerischem Wörterbuch seinen Namen von dem Holzschlegel bekommen hat, mit dem die Klopfer einst an Türen und Fensterläden pochten, um eine milde Gabe zu erhalten. In Finningen sind es gleich über hundert Kinder, die vier Stunden lang mit Taschen und Rucksäcken von Haus zu Haus ziehen und rufen:

Ich bin der Klopfer und sage an,
daß Christus, der Herr, bald kommen kann.
Und wenn er kommt ist Heil im Haus,
Holla, Holla, Klopfer raus.

Der Entenklemmer, der Gebäck, Süßigkeiten und Äpfel lieber für sich behält, erntet Spott:

Knöpfles, Knöpfles, Knopf,
Der Bauer hat an Kropf.
Die Bäuerin hat ihrer zwee.
Ihr brauchet eis nichts gee.

Das von Bräuchen so heiter umschnörkelte Finninger Jahr gäbe es nicht ohne Zusammenhalt in der Bevölkerung und intensive soziale Kontakte, die übrigens auch den Humus bilden, auf dem das Vereinsleben so prächtig gedeiht. Während anderswo die Herzen der Jungfrauen dem Sieger eines Preisschießens entgegenlodern, brennen sie in Finningen für den strammsten Radfahrer. Das Kreislauf und Wadeln gleichermaßen strapazierende Strampeln auf Stahlrössern ist seit 1912 in Mode: Josef Heinz hob am 10. März jenes Jahres den „Radfahrerverein" aus der Taufe, in dem sich gleich 28 Sattelwetzer zum „Lust- und Tourenfahren" zusammenfanden. An festgesetzten Ausflugstagen rollte man auf Schlauchreifen entlegenen Brotzeitinseln zu, um dort bei einer Radlermaß gemütlich beisammen zu sein.

Im Lauf von sieben Jahrzehnten haben sich Finningens Velozipedisten zum „Rad- und Sportverein Germania 1912 Neu-Ulm/Finningen" gemausert mit einer Schützentruppe, einer Ski- und Wanderabteilung, einer Frauen-Gymnastikgruppe, Keglern, Turnern und Tennisspielern. Doch der Germania wichtigste Beute scheint die Kilometerbeute zu sein: 1977 radelte ein ganzes Rudel Finninger in Neu-Ulms französische Patenstadt Bois-Colombes, 1978 brachte die Hochdruckpneu-Kavallerie auf Fahrten kreuz und quer durch Schleswig-Holstein 28 000 Kilometer zur Strecke, 1979 ergatterte sie mit 46 545 Kilometer in einer Woche den ersten Preis im Wanderfahren und wurde schwäbischer Korsomeister. An Pfingsten 1980 ritten 28 Finninger – ihre Stahlrösser erstrahlten in tadellosem Lack –, von Meran kommend, in der Stadt ein, die für den Selbstbehauptungswillen der Dörfler so wichtig ist wie ihre Germania 1912: in Rom, wo sie es sich nicht nehmen ließen, Kontakt zu allerhöchsten Stellen aufzunehmen, zu Papst Johannes Paul II., dem Stellvertreter Gottes auf Erden. Wer wagt da noch zu sagen, Finningen sei muffig verträumt und trostlos schön?□

[1] Wer weiß, ob diese Heiligengeschichte, wie sie ein Reiseführer durch die Mittelmeerinsel Zypern dem gläubigen Touristen anbietet, wahr ist. Womöglich erscheint St. Mammas in den 783 lateinischen Hexametern, die Abt Walafrid Strabo um 825 um das Leben des Heiligen rankte, in einem ganz anderen Licht.

[2] Für die Finninger Kinder war der „Zachäus" das Signal für die Jagd auf Äpfel, Birnen und Zwetschgen, die noch nicht geerntet waren, das sogenannte „Mäuseln". Sie rückten allerdings den Bäumen mit Stangen und Wurfscheiten so heftig zuleibe, daß Vizebürgermeister Durst Mitte der 60er Jahre den Brauch abschaffte.

Ein malerisches Ensemble: Kirche St. Mammas, Pfarrhaus und Pfarrstadel (beide um 1770 erbaut), unter dessen Dach zur Zeit Gemeindesaal und Jugendräume entstehen.

In des Tages Einerlei markieren alte Bräuche Höhepunkte und Pausen. Dem Funkenfeuer am ersten Fastensonntag folgt am Palmsonntag der Kirchgang mit Palmbuschen. Den Nikolaus holen die Schulkinder mit ihrer Lehrerin von drauß' vom Walde ab (links unten). Der Klopferstag (Bild Mitte) bringt süße Beute.

Eine Anstiftung, Reutti zu besuchen

Von der seltsamen Kutschfahrt einer Leiche, einem k. u. k. Spuktheater und einigen Säulen schwäbischer Küche

Auf dem Weg von Neu-Ulm nach Reutti und umgekehrt lauern von alters her viele Gefahren. Vor langer, langer Zeit dehnte sich in dem topfebenen Talgrund zwischen den beiden Orten ein weites Flachmoor mit Pfeifengrasinseln, in denen golden die Trollblumen leuchteten, das Nordische Labkraut elfenbeinweiß blühte, die Kriechweide mit ihrem silberglänzenden Blattwerk wucherte, der Quendel würzigen Heideduft verstreute und sich weiße Weiherveilchen hinter der roten Knolligen Kratzdistel versteckt hielten. Nicht selten blieben Karrenräder im Sumpf stecken und mußten von Pferden aus dem Gehöft Marbach wieder aus dem Dreck gezogen werden. Zum Abschleppdienst war sein jeweiliger Besitzer von der hohen Obrigkeit verpflichtet worden. Außerdem mußte er auch noch, wenn der Sichelmond über dem Bauernried aufzog, eine Laterne an seinem Haus anzünden, damit der Nachtwanderer ans Ziel gelangte.[1)]

Tiefpflug und Entwässerung (nicht zuletzt auch das Verheizen von Torf in Herden und Kaminen) haben die Sumpfniederung in Nutzflächen verwandelt; eine Fahrstraße hat Trennendes überwunden. Doch gefahrlos war der Weg nach Reutti immer noch nicht. „Die Herren Kreistagsmitglieder“, wetterte anno 1973 der damalige Bürger- und Schulmeister Friedrich Rabich in einem Brief an den Landrat, „müssen sich darüber im klaren sein, daß sie die Verantwortung zu tragen haben für die weiteren Personen- und nicht unbeträchtlichen Sachschäden.“ Die einschlägigen Zeilen eines Kinderliedchens („... wenn er fällt in Graben, fressen ihn die Raben“) vor sich hin trällernd, schlug Rabich den Kreisräten vor, „sich vom lebensgefährdenden Zustand der Straße persönlich zu unterrichten, indem sie die Straße, wenn möglich in einem Omnibus bei Gegenverkehr mit einem Lkw, während der Hauptverkehrszeit befahren“. Enge Fahrbahnen stimulieren den Tatendrang eines jeden Straßenbauers. Friedrich Rabich kann heute glatt und ungefährdet vom Lkw-Gegenverkehr in seine Schule nach Neu-Ulm fahren.

Aber glauben Sie ja nicht, der Weg in umgekehrter Richtung sei schneller geworden. Auch die neue, zur Staatsstraße aufgewertete Rollbahn hat ihre Fallen. Daß Sie in eine hineingetappt sind (nachdem es Ihnen gelungen war, durch Schwaighofen auf der Grünen Welle dahinzuschwimmen), merken Sie, wenn Sie am Rand der Rennstrecke ein Polizist mit der Kelle in der Hand zum Abkassieren bittet. Doch Radarfallen sind notwendig, damit auf dem Lebensraum Straße nicht alles plattgewalzt wird, was sich dem Auto in die Quere stellt. Eine andere, für Reutti viel schlimmere Falle lauert da, wo der Asphalt die alte Römerstraße überquert: das Riedswirtshaus. Wer jemals unter den Brotzeitpalmen dieser Preßsack-Oase gesessen ist, der ist für Reutti verloren. Sollte er darüber hinaus noch ein Hiesiger sein, für ewig. „Ein Schwabe“, weiß der Seelenforscher zu berichten, „hat nämlich kein Herz, aber dafür zwei Mägen.“ Schade für diesen Ort, von dem der Ulmer Gymnasialprofessor Johann Herkules Haid schon im Jahr 1786 schrieb, daß er „von weitem her ein herrliches Ansehen, auch eine große, weite Aussicht hat“, weswegen einige Jahre später Napoleon von hier aus die Einschließung Ulms beobachtete.

Wer immer es schick fand, auf dem Lande zu leben, der zog in das Dörfchen am Riedsaum, das, als es 1352 zum erstenmal in einer Urkunde auftauchte, noch „Rütin“ hieß. Bewohnt war es sicher schon viel früher, wie Fundstücke aus einem Grabhügel im Buchwald beweisen. Übrigens Objekte von höchster Güteklasse: ein verzierter Klappervogel, wie er vor rund 2500 Jahren als Spielzeug in Gebrauch war, und eine in zwei Hälften geteilte, polychrome ovale Tonschale.[2)] Wie so oft in dieser Gegend waren es Ulmer Patrizier, die sich einkauften. Hans von Halle taucht als erster ulmischer Grundherr auf, dem 1390 Schwiegersohn Hans Karg folgte. Durch Erbschaft kamen dann die ritterbürtigen Roth ans Ruder. Konrad und sein Sohn Hans Roth ließen sich von 1550 bis 1554 von einem Ulmer Architekten das stattlichste aller Patrizierschlösser weit und breit bauen: einen dreigeschossigen Winkelhakenbau mit dickem Wohnturm, dessen unterer Teil noch aus mittelalterlicher Zeit stammt. Im 18. Jahrhundert bekam er sein mächtiges Mansardendach aufgesetzt.

Die Schloßherren von Roth haben dem Ort auch die schönste Landkirche weit und breit beschert: St. Margareta. In dem lichten, rippengewölbten Altarraum ein spätgotischer Flügelaltar mit bemaltem Schnitzwerk, ohne Zweifel eines der prächtigsten Werke der Ulmer Schule. In dem mit reichem Rankenwerk verzierten Schrein fast vollplastisch die Apostel am Sterbebett Mariens. Vorne links, glauben die Reuttier zu wissen, sitzt, die Hände über der Bibel gefaltet, ein Herr von Roth, mit sorgenvoller Stirn betrachtend, was aus seinen einstigen Untertanen geworden ist.

Die Roth saßen bis 1802 auf ihrem Lehen, als Vasallen des österreichischen Kaisers stets darauf bedacht, daß das Verhältnis zur Reichsstadt Ulm, die die Landeshoheit mit Gerichtsbarkeit und ius episcopale[3)] innehatte, nie an Spannung verlor. Konfliktstoff gab es genug, vor allem als 1619 der Katholik Hans Roth Gutsherr im protestantischen Reutti wurde. Wie viele Kriege, alle geführt im Zeichen des Kreuzes, mußte das Dorf von da an aushalten!

Einer der Roth wurde einmal vom Ulmer Rat zu 50 Taler Strafe verurteilt, weil einer seiner Beamten sein Kind auf dem katholischen Gottesacker in Finningen begraben ließ. Ein katholischer Bauer führte seine tote Frau im Galopp dorthin, um nicht von den Ulmern überfallen zu werden. Dann traf es den Patronatsherrn selber: Er wußte sich nach dem Tod seiner Frau nicht anders zu helfen, als daß er die Leiche in aufrechter Stellung nach Finningen kutschieren und erst dort in einen Sarg legen ließ.

Nicht genug damit. Um die Reuttier auf dem rechten protestantischen Kurs zu halten, sperrte Ulm 1727 den katholischen Ökonomen Röscheisen von Haus Nr. 3 in einen Turm, schlug die Fenster des Hofes ein, ruinierte den Brunnen, zersägte die Pflüge, ließ die Früchte ausdreschen, verkaufte Kühe, Schweine, Pferde, Gänse, Enten und Hühner und schnitt das Kraut auf dem Feld. Drei Jahre später kamen sie noch einmal, legten Granaten in das demolierte Wohnhaus und äscherten es ein. Der unchristlichen Drangsale Ulmer Christenmenschen überdrüssig, kündigte Franz Anton von Roth 1738 das Ulmer Bürgerrecht auf und wurde Reuttier. Weil ihm aber der Fußweg nach Finningen zum Gottesdienst zu beschwerlich war, bat er Papst Clemens XII. um Erlaubnis, in eigener Schloßkapelle von einem eigenen Schloßkaplan täglich die heilige Messe lesen lassen zu dürfen.

[1)] Der Kavalier der (sumpfigen) Straße durfte dafür „12 Stück Vieh ins Ried schlagen“.

[2)] Kopien davon sind im Neu-Ulmer Heimatmuseum, die Originale wanderten schon um die Mitte des 19. Jahrhunderts in das württembergische Landesmuseum.

[3)] Der Rat zu Ulm hatte in allen kirchlichen Angelegenheiten, insbesondere bei der Besetzung der Pfarrstelle, das letzte Wort.

Schloß Reutti (vor der Renovierung)

Acht Jahre vergingen, bis die Ulmer auf die päpstliche Bulle vom 28. November 1739 antworteten: „Es sei dem Herrn von Roth hiermit zugestanden, nur solle er diese Lizenz in gehöriger Stille genießen und den zu erwählenden Geistlichen genugsam einbinden, von allem unzeitigen, anzüglichen Religionseifer sich sorgfältigst zu enthalten."

1802 zog ein neuer Gutsherr auf das Schloß: Baron Nepomuk von Wyttenbach, k.u.k. Kämmerer und Major. Die Reuttier tuschelten, Kaiserin Maria Theresia höchstselbst hätte ihm für seine im Türkenkrieg bewiesene Tapferkeit die Anwartschaft auf das Lehen verliehen.

Kaum war der k.u.k. Haudegen richtig zu Hause, drehte er gleich den (katholischen) Spieß gegen Ulm und verbot dem Pfarrer von nebenan, in seiner Kirche das Namensfest des neuen Landesherrn, Seiner kurfürstlichen Durchlaucht Max Josef von Bayern, zu feiern. Um ihm den Schneid ganz abzukaufen, drohte er ihm, die Schlüssel zu St. Margareta abzunehmen und das Gotteshaus von kaiserlich österreichischem Militär umzingeln zu lassen. Der Stratege hatte die Rechnung ohne den Wirt gemacht: Zur Namensfeier erschien wie der deus ex machina der Söflinger Landgerichtsaktuar mit einigen bayerischen Soldaten im Gefolge. Wyttenbach blies zum Rückzugsgefecht. Er lud Maurer und Zimmerleute in sein Schloß und ließ sie blechtrommelnd und kettenrasselnd durch die Hallen spuken, um die in der Kirche versammelte Festgemeinde in ihrer stillen Andacht zu stören.

Auf den spektakelnden Baron folgte 1815 der in Geschäften nicht unerfahrene Ulmer Großhändler Johann Georg Friedrich Kispert. 1827 erbaute er für 80 000 Gulden eine Zuckerraffinerie[1)], die aber schon 17 Jahre später – die Erträge entsprachen nicht den Erwartungen – in eine Schloßbrauerei umgerüstet wurde. Hermes, der Gott der Händler und Diebe, allein wird wissen, warum 1889 Viktor Kispert sein Gut Reutti an ein sogenanntes „Güterschlächter-Consortium"[2)] verkaufte, das dann auch gleich ans Ausbeinen ging: Brauerei, Felder und Wälder wurden gegen Bares unter ver-

schiedenen Privatleuten aufgeteilt, das Schloß dem Bruder Viktors, Sanitätsrat Gustav Kispert, angedient.

Nach Kispert kam wieder blaues Blut auf Schloß Reutti[3], bis dann 1955 der Pfarrer Hansmartin Schott, ein Nachkomme des Pumpenfabrikanten Holder, mit einer Heimschule in den Frührenaissancebau zog. Für das fortschrittliche pädagogische Konzept fehlten indes bald die Adressaten: die Schüler. Schott verkaufte die Bildungsburg 1978 an den italienischen Architekten Pierremilio Tocchi, der sie gleich vierteilte und jetzt durch die Schlüsselscharten im Turmstübchen nach neuen Schloßherren mit dicken Bankkonten späht.

Doch ein Wohnzimmer mit polygonalem Erkerchen macht noch keinen Patron, eine gute Speisekarte schon eher.

(Um gleich alle Mißverständnisse auszuräumen: Auf Glanzpapier in anheimelnder Kursivschrift gedruckte Sündenkataloge sind in der Neu-Ulmer Gastronomie eher die Ausnahme.) Unter den ambulanten Kostgängern hierzulande ist das „Rößle" in Reutti für seine schwäbische Küche bekannt mit ihren per Hand ausgewargelten Schupfnudeln und den endlosen Spätzles-Koloraturen. Wer sich ihnen ausliefert, merkt, wie die mehlspeisige Sanftmut ganz langsam durch den Magen ins Gemüt sickert.

Und dann durch Reutti schlendern, an Kirche und Schloß vorbei hinunter ins Bauernried, wo bereits das Vesper wartet. Sollten Sie's noch nicht wissen:
A Schwab braucht halt dreimal sei Essa am Tag und vier gute Vesper, sonst schlottret sei Mag'!

[1] In Kisperts Raffinerie luden sich die Aufheimer, die das Hauptkontingent der Arbeiter stellten, den Spitznamen „Siaßler" auf den Hals.
[2] Weil die „Güterschlächter" auch mal in Robert Lembkes „Heiterem Beruferaten" auftreten wollten, nannten sie sich „Immobilienmakler". Was für eine leere Worthülse!
[3] Und in den Schloßgarten im April 1926 eine Hühnerfarm, errichtet von Fräulein Ulla von Waitzegger, Tochter eines württembergischen Ministerpräsidenten. Das Fräulein, das bis zu 1000 weiße Nutzhühner im Käfig hielt, war ihrer Zeit weit voraus. Die in Amerika um die Jahrhundertwende geborene Idee, Eier fürs Omelett, die Mayonnaise, für Spätzle, Biskuits und Haarshampoos in Gitterboxen legen zu lassen, kam erst in den sechziger Jahren in die Bundesrepublik. Den Reuttiern wird das alles ganz schön gestunken haben!

Nordöstlich des Schlosses, umgeben vom Friedhof: die evangelisch-lutherische Pfarrkirche St. Margareta. Unter dem siebenstrahligen Sternrippengewölbe des Chorraums steht ein Meisterwerk der Ulmer Schule: ein spätgotischer Flügelaltar mit bemaltem Schnitzwerk. Der blau, rot und golden gefaßte Altarschrein hat die Form einer kapellenartigen Nische, in der sich, fast vollplastisch und perspektivisch geschickt gestaffelt, die Apostel

um das Sterbebett Mariens drängen. Ein Maßwerk aus drei sich überschneidenden, von reich geschnitztem Laubwerk gesäumten Kielbogen, die in Kreuzblumen mit Halbfiguren enden (in der Mitte Christus mit der Seele Mariens), begrenzt den Schrein nach oben. Das Relief auf dem linken Flügel zeigt Mariae Verkündigung, das auf dem rechten die Geburt Christi mit Anbetung der Hirten. Über beiden wölbt sich bis zur Flügelspitze vergoldetes Rankenwerk. □

Der Soldatenfriedhof in Reutti:
Schattenwelt

Das 1561 erbaute Neubronner-Schloß in Holzschwang

Einige Fundstücke aus Holzschwangs Geschichte

Von einem pudelnärrischen Papierkrieg, einem berüchtigten Räuberhauptmann und rätselhaften Erdbewegungen

Wenn das Mittagslicht wie erstarrter Glasfluß über neu-ulmischen Landen liegt, dann sollte, wer gern in eine andere Zeit und in einen anderen Raum taucht, sich auf den Weg nach Holzschwang machen. Dem bereits im 12. Jahrhundert bekannten „Holzeswank" nähert man sich am besten auf Schusters Rappen: vorbei an Wiesen, die vom filigranen Netzwerk der Schierlingsblüten überzogen sind und den grellgelben Kolonien des Löwenzahns.

In dem Ort auf dem Riedel westlich des Leibitals hat sich der Lärm der Stadt zum Hörensagen verdünnt. Der Ulmer Ökonomieprofessor Johann Herkules Haid fand schon vor 200 Jahren Gefallen an ihm. Zum Zwecke der Landesbeschreibung im ganzen Ulmer Land unterwegs, rühmt er „den besonders fruchtbaren Boden, in welchem vorzüglich Flachs gedeiht". Die Früchte gerieten hier gewöhnlich 15fältig, und auch das Obst sei gesund.

Ein Tröpfchen mehr in den Becher dieser Lust war der Brauch des Pfingstritts, den der Professor hingebungsvoll aufzeichnet: „Am Pfingsmontage, früh vor Sonnenaufgang, versammeln sich in Holzschwang die jungen Leute zu Pferde auf den Wiesen gegen den Leibifluß. Es wird ein Ziel gemacht zu einem Wettrennen und auf gegebenes Zeichen fliegen sie mit verhängtem Zügel in vollem Galoppe dem Ziele zu. Der erste, der das Ziel erreicht, erlangt den Preis, der darin besteht, daß ihn die Mädchen mit Bändern schmücken und alles Volk als einen Sieger ins Dorf begleitet. Den Nachmittag ist Schmauserei im Wirtshause und der Sieger eröffnet mit seinem Mädchen den Tanz. Dieses ländliche Fest stiftet gewöhnlich die Ehen unter dem jungen Volk des Dorfes."

Was Wunder, wenn auf dem Schloß zu Holzschwang Patrizier von Ulm saßen. Die protestantische Linie der von Roth ließ sich 1561 den Renaissancebau mit seinen beiden Ecktürmen als Landsitz errichten. Seit 1753 ist er im Besitz der ebenfalls aus der Reichsstadt stammenden von Neubronner, die heute noch dort wohnen. Doch die Roth und Neubronner waren nicht die einzigen Lehens- und Leibherren in Holzschwang. Auch das Kloster Wiblingen, die Grafen Fugger sowie Spital und Pfarrkirchenpflegeamt Ulm konnten Gilten, Renten und Zinsen in ihre Scheuern einfahren.

Ihren Untertanen war ein Leben in bukolischer Sorglosigkeit nicht beschieden. Im Februar 1728 muckten zwölf Holzschwanger, die „ihr Stücklein Brot mit ihrem Handwerk oder Taglohnen verdienen mußten", gegen die hohe Steuerlast auf. Doch ihr Einwand, daß im Kirchbergischen im Jahr nur zwei, im Ulmischen aber sieben Steuern pro Jahr eingefordert würden, wurde vom Tisch gefegt. Die Beschwerdeführer, so machte ihnen der Hauspfleger des Hüttenamtes Ulm klar, sollten es „mit Dank anerkennen, daß man sich ihrer so treulich und väterlich angenommen, daß sie unter der ulmischen milden Obrigkeit bei der Religionsfreiheit und bei Haus und Hof durch göttlichen gnädigen Schutz erhalten worden seien."

Ein Satiriker vom Schlage des Biberacher Christoph Martin Wieland hätte Funken schlagen können aus dem sich vier Jahre hinziehenden Streit, der – wie sollte es auch anders sein – ganz umsonst geführt worden war. Und wie viele pudelnärrische Einfälle wären in jenem skurrilen Federkrieg zu entdecken gewesen, den sich anno 1767 Karl Friedrich Neubronner und das Ulmer Pfarrkirchenpflegebauamt wegen einer ähnlichen Sache lieferten. Peter Edele, Vogt im herrschaftlichen Schlößchen, hatte ein Jahr zuvor die Witwe des Johann Preißler, eine Untertanin des Heiligen[1] von Holzschwang, geehelicht, ohne diesem dafür den „Brautlauf"[2] in Höhe von 1 Gulden 30 Kreuzer zu entrichten.

Evangelische Pfarrkirche St. Georg mit einem Altarbild des Venezianers Jacopo Amigoni (1675–1752)

Ulms Magistrat geriet in Harnisch: Weil es dem Heiligen nicht zuzumuten sei, daß er seine Rechte einschlafen lasse, solle Edele seinen Dienst oder die Söld quittieren. Herr von Neubronner schlug auf 36 Seiten zurück, dabei alle berühmten Rechtsgelehrten seiner Zeit anrufend. Sein Fazit: Um den Vogt von seiner Söld oder seinem Dienst zu vertreiben, dürfte wohl eine größere Gewalt nötig sein, als der Heilige von Holzschwang sie besitze. Nachdem sich beide Parteien Kübel voll Unflats über die Häupter geschüttet hatten, schlossen sie am 19. Januar 1769 Frieden. Der Krieg fand ein vergnügliches Ende: Edele wird vom Brautlauf befreit, der „in dieser Sache geführte Briefwechsel gänzlich aufgehoben und als nicht geschehen angesehen".

Ein Glück, daß sich Holzschwangs Heiliger in diese Händel nicht einmischen konnte: Er saß zu Pferd als barocke Wetterfahne auf dem Chorfirst. Auch die Lärmkaskaden der Reformation und (versuchten) Gegenreformation schlugen nur gedämpft an sein Ohr. Als sich der „Ehrsame Rat der Stadt Ulm" anno 1531 „in Abstellung hergebrachter etlicher Mißbräuche in der Stadt und Gebieten" die Reformationsordnung „zu halten fürgenommen" hat, wurden auch in Holzschwang Messe, Feiertage und Bilder abgeschafft und dem Pfarrer Grauw, der auf den neuen Glauben nicht sonderlich gut zu sprechen war, ja ihn sogar als „Lumpenglauben" beschimpft hatte, der Abschied gegeben. Dem Augsburger Bischof Heinrich von Knöringen (1598 bis 1646) war das ein Dorn im Auge, und nachdem es ihm am 29. Januar 1627 gelungen war, Holzheims protestantischen Pfarrer Johann Wilhelm Mayer mit Waffengewalt zu „entfernen", hielt er auch Holzschwang für sturmreif, dessen Prädikant – einem Bericht des fürstbischöflichen Pflegers Scheler aus Autenried zufolge – „den Holzheimern Pfarrkindern ganz feind sei, wie denn noch nicht lange her sei, als er durch Holzheim gegangen und öffentlich den Psalm ‚Erhalt uns Herr bei Deinem Wort' gesungen habe".

Fürstbischöfliche Gnaden wurden ganz ungnädig, als Pfleger Scheler in einem Brief vom 9. August 1630 gar von „friedensbrüchigen" Tathandlungen zu berichten wußte. Um eine Wallfahrt nach Wullenstetten zu machen, war Holzheims Pfarrer Anton Schnitzler an der Spitze seiner Pfarrkinder am St. Afratag des Jahres 1630 „morgen in der Frühe ausgegangen und hatte seinen Weg auf Holzschwang zu genommen; indem er aber durch ein Holz hat müssen, daß man den Fahnen nicht hat können offen tragen und nachdem man vor das Holz hinaus gekommen, Holzschwang wärts, hat genannter Pfarrer das Kreuz samt den Fahnen wieder offen und aufrecht tragen lassen, bald hernach hat man zu Holzschwang anheben Sturm schlagen und ist ein Schuß mit einer Muskete über das Volk, so mit dem Kreuz gegangen, mit einer Kugel geschehen..."

Der Bischof brauchte nicht lange (wie er es in einem Beschwerdebrief an den Kaiser ankündigte) „auf wohlerspießliche Mittel, wodurch die Katholischen bei ihrem öffentlichen Gottesdienste ungehindert gelassen werden, zu trachten". Im Juni und Juli 1631 plünderten 2500 Kroaten aus dem Heer Graf Fürstenbergs das Dorf Holzschwang und erschossen Pfarrer Daniel Sing. Die Pfarrei St. Georg indes blieb protestantisch, da die landesherrlichen Rechte immer noch in Händen des Ulmer Magistrats lagen.

Es ist an der Zeit, auf Holzschwangs Bühne eine Figur auftreten zu lassen, die im 18. Jahrhundert so manchen Edel- und Jägersmann in die ewigen Jagdgründe beförderte: Matthias Klostermaier, besser bekannt als bayerischer Hiesel. Von Oberelchingen kommend, wo er sich um Mitternacht „im Wirtshaus bei dem Pulvermiller" mit Ulmer Kreissoldaten und ihrem Feldwebel Katzenwadel herumgeschossen hatte[3], stattete der Räuberhauptmann am letzten Sonntag im Dezember 1770, kurz vor dem Mittagessen, zusammen mit 12 Spießgesellen und seinen berühmten Kötern, die jeden speichelnd vor Wut anbellten, dem Jäger zu Holzschwang einen „Anstandsbesuch" ab. Der Jäger saß gerade bei Tisch und las die Zeitung, während seine hochschwangere Frau, die Hände über dem Bauch gefaltet, auf der Bank etwas ausruhte. Was den beiden widerfuhr, ist im „Gemeindsbüchlein" festgehalten: „Da sprangen 2 vom Hiesel, nahmen dem Jäger alle seine Kleider und Gewöhr und ihr einen güldenen Ring und noch vieles; wie sie gingen, da gab der Hiesel der Frau die Hand und sagte: Behüte Gott, Kammrähte, wie sie draußen waren, so warfen sie dem Jäger eine alte Flinte in sein Haus nein."[4]

Die Vermutung, Hiesels Überfall auf Holzschwang sei ein Fingerzeig der Unterwelt, sollte schon wenig später die schauerlichste Bestätigung erhalten. Denn in dem Stückchen Erdkruste, auf dem der Ort so malerisch hingebreitet liegt, begann es zu rumoren. So jedenfalls behauptete der Pfuhler Schulmeister Trostel. In seiner Jugendzeit – Trostel war ein Schüler des Holzschwangfreundes Haid – sei von dem stattlichen fünfstöckigen Turm von St. Georg nur die Spitze des Helms zu sehen gewesen, während er 40 bis 50 Jahre später schon zur Hälfte über den Horizont ragte. Das Phänomen erklärte sich der Magister nicht etwa mit der Abholzung eines die Sicht versperrenden Waldes, sondern mit einer Erderhebung. Trostels Erkenntnis mutet etwas komisch[5] an. Denn nicht einmal Holzschwanger Bauern, gewohnt, den Tatsachen ins Auge zu blicken, haben von den sich unruhig wälzenden Kräften der Unterwelt etwas gemerkt. Im Gegenteil: Auf der Suche nach den Gewalten, die den Ort in seinem Inneren bewegten, stieß der Ökonom Gottlieb Guther auf alles andere, nur nicht auf tektonische Kräfte. Er machte sich auf den Lauf der Dinge folgenden Reim, den er 1867 als Inschrift an seinen Hof malte:

Die Leute sagen immer,
Die Zeiten werden schlimmer.
Ich aber sage nein.
Die Zeiten bleiben immer,
Die Leute werden schlimmer,
So trifft es besser ein.

Guthers melancholische Vision bestätigte sich am 24. April 1945 in einer schrecklichen Weise: Am Ortsrand war, einen Tag vor dem Einmarsch der Amerikaner, eine Artilleriebatterie der Wehrmacht in Stellung gegangen. „Wenn die schießen, ist unser Dorf ein Trümmerhaufen", waren sich die Bauern einig. Sechs oder acht von ihnen machten sich daher auf den Weg zum Batteriechef, um ihn zum „Abhauen" zu bewegen. Fühlte der, ein junger Leutnant, sich von ihnen bedroht? Der Offizier und ein Begleiter zogen ihre Waffen und schossen um sich. Konrad Stetter und Jakob Wörz, beide Veteranen des Ersten Weltkriegs, wurden von Kugeln niedergestreckt. Tödlich getroffen sank auch ein dreijähriger Bub vom Stuhl: Ein Irrläufer jagte durch das Küchenfenster, hinter dem der Kleine gerade seine Milch trank. □

[1] Mit dem „Heiligen" ist die Kirchenstiftung der evangelisch-lutherischen Pfarrkirche St. Georg gemeint.

[2] Brautlauf war im 18. Jahrhundert eine Abgabe in Geld, welche der Hochzeiter an den Herrn seiner Braut als Anerkennung herrschaftlicher Rechte bezahlen mußte, damit dieser die Braut „laufen" ließ.

[3] Ganz Ulm war in dieser Nacht vom 29. auf den 30. Dezember auf den Beinen, um den berühmten Räuber einbringen zu sehen. Statt ihm kamen aber, laut fluchend und mit blutigen Nasen, Katzenwadels Leute in großer Unordnung. Auf einem Wagen ihr erschossener „Feldweibl". Weil sie „neben Hiesels Kopf hintnumb geschossen haben", wurden die Soldaten mit je 30 Stockhieben auf den Rücken bedient, wobei ihnen der Haarzopf in den Mund gestopft wurde, damit sie den Schmerz verbeißen konnten.

[4] Womit bewiesen wäre, daß hinter der behaarten Brust eines Wildschützen bisweilen ein weiches Herz schlägt. 150 Jahre nach Hiesels Tod – er wurde 1771 in Dillingen hingerichtet – kam es zu einer Neuauflage der schaurigen Begegnung zwischen Jäger und Wilderer. Diesmal floß Blut. Die Schießerei fand allerdings im Wirtshaus statt: der Theaterverein hatte zu einem Drama eingeladen. Irgendwoher hatten die Mimen zwei alte Flinten ergattert, die Munition war aus Papierpfropfen. Das Pulver freilich war echt. Eines der harmlosen Geschosse durchbohrte die Wade eines Schauspielers. Blut tropfte aus der Wunde, Panik brach aus, das Spiel war beendet. Und man mußte den Unfall noch vor der Polizei verbergen, denn niemand hatte einen Waffenschein. „Aber schea isch's doch gwea", meinte sogar der Verwundete.

[5] Ob der Hobbygeologe Trostel aus Pfuhl ganz bei Trost war, ist schwer zu beurteilen. (Etwaige Anfragen sind an die Herren Schulräte zu richten. Vielleicht muntert sie der Stoff etwas auf.)

Kalenderblätter einer (noch) einigermaßen heilen Welt. Das atemberaubende Crescendo fortschreitender Veränderung unserer Dörfer scheint in Holzschwang eine Verschnaufpause eingelegt zu haben.

Atlaszeder und Zuckerhutfichte konnten den Hochstammapfelbaum noch nicht restlos verdrängen. Das Auto nicht die zum Bändertanz auf der Straße versammelten Trachtenpärchen. Der Supermarkt nicht den Tante-Emma-Laden.

Lebensmittel
Emma Held

Jeden Mittwoch
Nachmittag
bleibt das Geschäft
geschlossen

Schloß Tiefenbach (links) und Schloß Neubronn anno 1722: Nach einem Ölbild des Ulmer Stadtmalers Georg Friedrich Pfandzelt

Nördlich von Holzschwang, am abfallenden Westhang des Tals der Leibi, liegt Schloß Neubronn. Um 1560/75 wurde es als Landsitz von dem Kaufbeurer Matthis Lederer bei einem Bauernhof gebaut, der bereits 1403 als österreichisches Lehen der Ulmer Patrizier Roth beurkundet ist.

Bis ins 17. Jahrhundert war Schloß Neubronn Sommerresidenz der Ulmer Kaufmannsfamilie Gienger und kam dann, durch Töchter vererbt, in den Besitz wechselnder Geschlechter, meist aus dem Ulmer Patriziat. □

Ebenfalls aus einem Bauernhof hervorgegangen ist das am Fuß des Buchwaldes gelegene ehemalige Schloß Tiefenbach. Eine über dem Erdgeschoß der Giebelfront eingemauerte Sandsteinplatte zeigt das Wappen der Ulmer Patrizier von Besserer, die das Schlößchen um 1760 in ihren Besitz brachten. Die Besserer renovierten das wohl aus dem 16. Jahrhundert stammende dreigeschossige Satteldachhaus von Grund auf, entfernten die in ein Spitzdach auslaufenden Erker, zogen ein stattliches barockes Treppenhaus ein und ließen die Decke des im zweiten Stock gelegenen Saals mit Rocaillestuck verzieren. Seit dem 19. Jahrhundert gehört das ehemalige Schlößchen zu einem Bauernhof. □

Was Hausen mit seinen Herren erlebte

Von Brotzeitmachern und einem Dragoner-Hauptmann, der seine Bauern in einen Prozeß hineinritt

Rechts über dem Portal von St. Ulrich ein bemaltes Wappenrelief (Allianz Schleicher/Rehlinger) mit der Jahreszahl 1623

Seine ersten Touristen verdankt Hausen, das kleine Dörflein östlich des Großen Heining, einer frühmittelalterlichen Heerstraße, die von Ulm aus auf die Höhen rechts der Iller führte. Als sie bedeutungslos wurde, döste es lange Zeit verträumt vor sich hin, ab und zu gestört von uralten Schwammerlweiblein und gramdurchfurchten Kräuterfrauen. Das änderte sich schlagartig, als die ersten Biersieder aufzogen. Für die Zecher der Umgebung schien das 508 Meter über dem Meeresspiegel gelegene Hausen bald ein Gipfel der Bierseligkeit zu werden. Auch der Ulmer Gymnasialprofessor Johann Herkules Haid hat ihn erklommen, ist er doch in seinem 1786 erschienenen Buch über den „Ulmer Winkel" voll des Lobs über das „sehr gute Braunbier". In fröhlicher Schützenreih' strebten fortan Naturfreunde aus nah und fern den Hügel hinauf, um sich in ständeverwischender Eintracht zuzuprosten. Damit sie auf dem Heimweg nichts von der genossenen Köstlichkeit verschütten, fuhren viele von der Station in Gerlenhofen aus mit dem asthmatisch ächzenden Sauerampfer-Expreß[1], der Illerbahn, ins Städtchen retour.

Außer Brotzeitmachern weist die Geschichte Hausens einen fast unerschöpflichen Lagerbestand an Besuchern auf, die mit erwartungsvoll hohler Hand und strengen Paragraphen in den Mundwinkeln unter dem Türstock erschienen: die jeweiligen Ortsherren. Als Lehen der Grafen von Kirchberg gehörte Hausen vor 1362 (wie Holzschwang und Reutti) dem Ulmer Patriziergeschlecht von Halle, bis 1409 dem Kloster Buxheim, dann wieder den Erben der Halle, den Karg und Roth von Reutti, den Rehlinger, den Schleicher, den Besserer. Im Lauf der Zeit hatten sich die Besitzrechte infolge verschiedener Verkäufe und Erbteilungen so zersplittert, daß es bald mehr Herrschaften gab als Untertanen.

Der „Regierungsantritt" eines neuen Herrn ging natürlich nie ohne zeremonielle Handlungen über die Bühne. Ein Glück, daß niemand in Hausen wußte, zu welchen Höhepunkten sich anderswo das Protokoll eines Staatsbesuches aufschwang, etwa im weit entfernten Flandern, das Kaiser Karl V. beim Einzug in eine Stadt die schönsten Mädchen der vornehmsten Familien im Evaskostüm als Willkomm entgegenschickte[2]. Hätten sie vielleicht der edlen, ehr- und tugendsamen Regina Rehlinger, die anno 1586 von ihrem Bruder Jörg Roth zu Reutti das Dörfchen übertragen bekam, die strammsten Burschen im Adamskostüm vorführen sollen?

Um die Mitte des 15. Jahrhunderts entstanden: die evangelisch-lutherische Filialkirche St. Ulrich zu Hausen

Einzug in Jerusalem

Christus vor Pilatus

Maria und Johannes unter dem Kreuz

Geißelung Christi

Die vier Bilder aus dem Passionszyklus gehören zur prächtigen Freskenausstattung des Kirchenschiffs. Sie wurden um 1470 gemalt. Das Chorgewölbe zeigt eine reiche spätgotische Figuration. Im Vierpaßfeld das Antlitz Christi mit Dornenkrone (um 1480). Ihm zu Seiten die Symbole der vier Evangelisten. Die Felder ringsum zieren Pflanzenornamente. Von den Schlußsteinen an den Sterngewölbescheiteln und an den Transversalen haben nur zwei ihre Wappen bewahrt: Roth (in Relief) und Lieber (ausgemalt). Die Ulmer Patrizier Roth waren von 1469 bis 1586 Ortsherren in Hausen. Konrad Roth, verheiratet mit Afra Lieber, hat 1488 einen Flügelaltar gestiftet, der seit dem 19. Jahrhundert im Besitz des Landesmuseums in Stuttgart ist. Der heutige Altar ist eine 1908/09 gefertigte Teilkopie des bedeutenden Meisterwerks Ulmer Kunst, für das Bartholomäus Zeitblom die Flügelgemälde (innen St. Nikolaus und St. Franziskus, außen Ölberg und Gefangennahme) schuf.

Die neue Regentin mußte man schandenhalber irgendwie estimieren. Also versammelten sich elf Mann am 30. August 1586, es war „Aftermentag nach Bartholomei Apostoli“, vormittags zwischen neun und zehn Uhr in ihrem Sonntagshäs „uff dem weg, wie man hinab gehn Jedelhausen farth und raist“, um Regina Rehlinger zu huldigen. Mit von der illustren Partie unter freiem Himmel war der „ehrenfest“ Jörg Roth, der das Dorf bisher innegehabt, und Gallus Spenlin, „Burger zu Ulm und aus Römisch Kayserlicher Mayestät Gewalt ein offenbarer approbierter und am Kayserlichen Cammergericht zu Speyer immatrikulierter Notarius“, dazu Hans Rauh und David Kast aus Jedelhausen.

Die pfingstrosenroten Gesichter der Mannen aus Hausen mögen „ins Gesäßhafte“ gespielt haben, als der Notarius die Eidesformel[3] vorlas: „Ihr alle und jeder insonders werdet schwören einen gelehrten Eid zu Gott dem Allmächtigen mit aufgebotenen Fingern, mir Regina, Carol Rehlingers seeligen Wittib, für Euch und Eure Hausgenossen, Weib und Kindern, als Euer rechten Grundherrschaft und Oberkeit hinfüro gerichtbar, vogtbar, steuerbar, dienstbar, reisbar, getreu, hold, gehorsam und gewertig zu sein, meinen Frommen und Bestes zu fördern und zu werben, Schaden und Nachteil soviel möglich jederzeit ungesparten Fleißes, Leibs und Guts zu wenden, zu warnen und für kommen.“

Es war nicht das erste und nicht das letzte Mal, daß sie ihre Schwurhand heben mußten, um sich mit Leib und Seele einem Grundherren zu übergeben. Für die getreuen Hintersassen hieß das vor allem, „die Güter zu Dorf, Holz und Feld ungetrennt in redlichen ordentlichen Bäuen zu halten, ihnen nichts zu entziehen, abbrechen noch einziehen zu lassen und Rent, Zins und Gült zu gebührlicher Zeit ehrbarlich abzuliefern“. Wie aus einer Urkunde aus dem Jahr 1722 hervorgeht, artete letzteres nicht selten in groteske Fliegenbeinzählerei aus.

Damals besaß der „hochfürstlich Hohenzollerische Rat und Hauptmann des hochfürstlich Oettingischen Dragoner-Regimentes“, Mathias Michael von Welser ganze drei Sechzehntel des Dörfchens. Er war Grund- und Giltherr über einen Hof und drei Sölden, indes auch dies nicht allein, sondern nur zu drei Achteln. Für den Bauern Hans Wiedenmann bestand die Drei-Achtel-Gilt in folgenden Abgaben: 8 Imi Roggen, 8 Imi Haber, 1½ Gänse, 3 Hennen, 25 Eier, 1 Gulden 43 Kreuzer 4 Heller Heugeld. Der Ökonom Bartholomäus Schuler mußte aus seinem Hof 1¼ Imi Roggen, 1¼ Imi Haber, ½ Henne, 2 Hühner, 50 Eier und 18 Kreuzer 6 Heller Heugeld reichen. Sie dürften alle Heiligen vom Himmel heruntergeflucht haben, wenn ihnen der Termin für die Bringschuld ins Haus stand, mußten sie doch auch noch die Herren über die restlichen fünf Achtel der auf ihrem Hof lastenden Gilt beliefern.

Ganz sicher waren die Welserischen Untertanen (zu ihnen gehörten noch der Bauer und Biersieder Georg Kling sowie der Landwirt Georg Wiedersatz) wie vom Blitz gerührt, als am 1. März 1723 des „hochlöblichen kayserlichen Cammergerichts geschwohrener bott“, Johannes Frey, auf edlem Roß vor ihren Misthaufen aufkreuzte und ihnen ein Brieflein folgenden Inhalts herunterreichte: „Wir Karl der Sechste, von Gottes Gnaden erwählter römischer Kaiser, zu allen Zeiten Mehrer des Reichs; König in Germanien, zu Hispanien, Hungarn, Böheim, Dalmatien, Kroatien und Slavonien; Erzherzog zu Österreich, Herzog zu Burgund, Steier, Kärnten, Krain und Wirtemberg Graf zu Tirol (und so weiter) ... entbieten denen Welserischen niedergerichtlichen vier Untertanen zu Hausen unsere Gnade und alles Guts ... und heischen und laden wir Euch Beklagte an diesem unserm Kaiserlichen Kammergericht durch Eure bevollmächtigten Anwälte zu erscheinen, zu sehen und zu hören, daß unserm Privileg und Status gemäß die Verkaufung und Kaufung des Anteils des im ulmischen Territorium gelegenen Weiler Hausen für null, nichtig und ungiltig deklariert werde.“ Wie, der Kaiser selber zitiert vier Hausener Bauern vor den obersten Gerichtshof im heiligen römischen Reich deutscher Nation?

Als ihnen Walther Heinrich Kolb, der Administrator der Hausener Herrschaften, Oberrichter und Pfarrkirchenbaupfleger, die mit dem kaiserlichen Insiegel bekräftigte Vorladung zu verdeutschen versuchte, packte sie das reine Entsetzen. Erst rauften sie sich, wie Andreas Hofer zu Mantua in Banden, wütend die Haare, um gleich darauf blaß und bleich vor Angst zu werden. Kaiser und Könige, so wußte man allerorts, brauchten nur mit dem Finger zu winken, und schon sah man sich seines Kopfes beraubt.

Die Spekulationslust des feinen Herrn Welser hatte seine Untertanen in diese höchst fatale Lage gebracht. Am Sonntag, dem 13. Dezember 1722, war bei ihnen ein Bote erschienen mit dem Befehl, den folgenden Montag früh nach Wiblingen zu kommen und ihre Gilt mitzubringen. Daselbst eröffnete ihnen der Oberamtmann des zu Vorderösterreich gehörenden Klosters Wiblingen, daß sie an Abt Modestus und den Konvent verkauft worden seien, und ließ sie gleich den dazugehörigen Eid leisten. Den Wiblingern, die bereits Grund- und niedere Gerichtsherren im benachbarten Dorf Aufheim waren und auch einige Güter in Holzschwang besaßen, kam das Geschäft nicht ungelegen. Auch Hauptmann Welser rieb sich die Hände, zahlte ihm doch der Abt die stattliche Summe von 3300 Gulden in bar. Doch er sollte sich nicht lange seines hübschen Geldbatzens erfreuen, der Käufer nicht seiner neuen Würde als Teilgrundherr von Hausen. Störenfried des beiderseitigen Glücks war die Reichsstadt Ulm. Bürgermeister und Rat der Stadt fürchteten um ihre Territorialhoheit, und nachdem alle freundlichen Vorstellungen, der Prälat von Wiblingen wolle den Kauf rückgängig machen, umsonst waren, ließen sie Ende Januar 1723 eine Beschwerde beim Reichskammergericht in Wetzlar einreichen.

Den vier Bäuerlein aus Hausen war das Herz buchstäblich in die Hose gerutscht. Um nicht den Zorn des Magistrats auf Haus und Hof zu ziehen, ließen sie nach vielen Wochen düsteren Grübelns von schreibkundiger Hand eine reumütige Epistel an die Adresse der Ulmer Stadtväter verfassen, die sie so einleiteten: „Hochedelgeborene, Hochwohlgeborene, Hoch- und Wohledle, Wohlehrenfeste, fürsichtige, hoch- und wohlweise, Gnädige und hochgebietende Herren...“ Die Räte mußten sich, wenn sie nicht menschgewordene Federhalter waren, gerührt fühlen von dieser literarischen Perlenkette an Unschuldsbeteuerungen, die ihnen da auf barocken Schreibtischen entgegenfunkelte. Ein menschlich Rühren jedenfalls wandelte den Kammerrichter zu Wetzlar an: Er ließ die vier einfältigen Ökonomen unbehelligt und ungeschoren.[4] Das Honorar in Höhe von eineinhalb Doublonen mußten die Klienten ihrem Anwalt schuldig bleiben. Was sie besaßen, war zum Sterben zuviel, zum Leben zuwenig. Es reichte aber aus, um die wunderbare Rettung aus den Klauen der Justiz mit einer großen Schüssel Brotsuppe, die ausnahmsweise mit einem Löffel Rinderschmalz gewürzt war, zu feiern. Ganz sicher ließ auch ihr Leidensgefährte Georg Kling, der im Nebenerwerb eine kleine Brauerei umtrieb, einige Runden braunen Bieres springen. So fand das Quartett endlich Trost im Krug. □

[1] Diese respektlose Titulatur wurde vom Autor zur Erinnerung an den Dichter Joachim Ringelnatz eingeführt, von dem die traurigen Zeilen stammen: „Er sieht immer nur Eisenbahnzüge und nie einen Dampfer – der arme Sauerampfer“. Wer seriösere Auskünfte über das Bähnle erhalten will, muß sich in die Fußnoten bei Gerlenhofen vertiefen.

[2] Den griesgrämigen Karl V., der so furchtbar an Rheumatismus litt, hat das nicht einmal gefreut.

[3] Eidesleistung und Huldigung der Untertanen hat der Notar auf einem Papier festgehalten. Pfarrer Eberle aus Aufheim fand es 1910 im Schloßarchiv Hausen, Fach 1, Band 3, Seite 43 ff.

[4] Welchen Ausgang der Prozeß der Stadt Ulm vor dem Reichskammergericht gegen Wiblingen und Herrn von Welser genommen hat, sagen die Akten im Schloßarchiv nicht. Womöglich wurde er nie entschieden. Den Richtern zu Wetzlar nämlich wuchsen im streit- und schreibseligen 17. und 18. Jahrhundert die Akten über den Kopf. Als Reich und Kammergericht 1806 aufgelöst wurden, fanden sich über 100 Jahre alte Akten, in denen nie eine juristisch gebildete Nase gesteckt hatte. Sei es, wie es wolle. Wiblingen zog sich aus Hausen zurück. Am 31. März 1724 verkaufte oder vertauschte es seine Anteile an das Spital zu Ulm, das sie am 22. Dezember 1767 an Christoph Heinrich Besserer um 3000 Gulden weiterveräußerte. Herr von Besserer kaufte die Eigentumsrechte der verschiedenen Herrschaften zusammen, so daß Hausen bald unter einen Hut kam.

Bild rechts:
Ein Hauch von Herrschaftlichkeit: das 1768 vom Ulmer Bürgermeister Christoph Heinrich Besserer von und zu Thalfingen erbaute Schloß in Hausen

Der Weißenhorner Metzger und Viehhändler Hans Claus und seine Frau Cordula, geb. Negerin, ließen sich 1572 einen Landsitz in Jedelhausen errichten. Seinen Namen erhielt der Ort von einem Udalrich (oder einer Udalhild) aus der Sippe des Markgrafen Gerold etwa im 8. Jahrhundert. Wie Holzschwang gehörte Jedelhausen bis 1352 als Kirchberger Lehen

dem Ulmer Patriziergeschlecht von Halle, dessen Nachkommen es dann zersplitterten. Das Schlößchen geriet 1768 in den Besitz der Ulmer Patrizier Schad von Mittelbiberach, die es 1782 renovierten. Es wechselte seither oft den Besitzer. Im 19. Jahrhundert gehörte es u. a. dem Bauern Preißler, der im Erdgeschoß seinen Stall unterbrachte. □

Am Abhang des Großen Heining liegt der Häuserhof. Seit alters her im Besitz der Grafen von Kirchberg, wurde er seit 1329 als Lehen an Ulmer Patrizier vergeben und war bis ins 19. Jahrhundert in der Hand verschiedener Familien. Der bestehende Bau wurde 1624 bis 1627 von dem Ulmer Handelsmann Matthäus Ritter aufgeführt. Von 1639 bis 1848 war der Hof Besitz der Besserer von Thalfingen. 1821 errichtete Christoph Heinrich von Besserer, der Erbauer des Schlosses in Hausen, hier ein Patrimonialgericht.

Der Häuserhof, 1653 schlicht „Haisser“ genannt, ist heute Bauernhof. Von weitem schon ist der hohe dreigeschossige Querbau mit seinem pyramidenbehelmten Glockentürmchen zu sehen. Im Süden schließt sich ein zweigeschossiges Traufhaus an, dessen erster Stock einen „Rittersaal“ beherbergte. Der Wohnteil im Norden, einst ein schlichter Fachwerkbau mit mächtigem, an der Nordseite abgewalmtem Satteldach, wurde im 19. Jahrhundert neu erbaut. □

In Gerlenhofen zu Hause: Ost-Heimkehrer

Einige Randbemerkungen über das 1000jährige Gerlenhofen

Von einer Tränke für Urwelttiere und einem Heiligen im Ochsenkarren

Eintausend Jahre altes Gerlenhofen! Da verwandeln sich Worte in Bilder, gestalten sich zu Häusern mit roten Ziegeldächern, die sich unter blühenden Apfelbäumen verbergen, und zu Bauerngärten mit ihrem kunterbunten Durcheinander von Gemüse, Blumen und Beeren. Doch für die Bilder, die wir drinnen im Kopf haben, gibt es draußen keine Entsprechung mehr: Die Gärten sind Abstellplätze für zwei Blaufichten und drei Krüppelkoniferen; hinter dem letzten aufsässigen Grashalm robbt der Bausparer mit der Schere her. Die Landschaft wurde in Grundstücke aufgeschnipselt, auf denen, aufgedonnert mit Glasbausteinen und Plastikstaketen, Reihenhäuser mit rasanten Dächern und bundesdeutsche Einheitslandhäuser für rund 2000 „Neubürger" stehen. Alles in Gerlenhofen ist neu, besser, komfortabler geworden. Ist es wirklich besser geworden? Unter Spaziergängern besitzt der Stadtteil keinen besonders guten Ruf. Geologen und Paläontologen dagegen stehen innerlich stramm. An Gerlenhofer Gewässern tummelten sich einst unter Palmen Schildkröten und Krokodile, das elefantenartige Mastodon und das kurzhornige Nashorn sowie die Urahnen von Wildschwein und Hirsch. Es ist nicht viel, was von ihnen nach 15 Millionen Jahren übriggeblieben ist: die noch in Kieferknochen steckenden, kräftigen Backenzähne des Nashorns, zierliche Zahnreihen der Hirsche, kräftige, hauerartige Eckzähne des Wildschweins und Knochenstücke von Krokodil, Schildkröte und Mastodon. Seit nunmehr 75 Jahren halten sie im Heimatmuseum das Ansehen Gerlenhofens hoch. Gefunden wurden sie 1908 von Arbeitern in einer Sandgrube an der Straße nach Hausen, südwestlich des Kleinen Heining. Um aus der Grube mit feinem Quarzsand eine Goldgrube zu machen, errichtete anno 1908 Regierungsbaumeister Julius Nusser aus Stuttgart-Untertürkheim Gerlenhofens ersten Industriebetrieb: die „Kalksandsteinwerke Ulm/Neu-Ulm".[1] Rentenbezieher erinnern sich mit Freuden an das bis 1918 unter Dampf stehende Unternehmen. Wo tagsüber Pferde den Kies vom Gurrenhof mit Loren ins Werk zogen, traf sich nach Feierabend eine nach Abenteuer dürstende Lausbubenschar zur Fahrt im offenen Güterwagen. St. Winnetou, der Schutzheilige spielender Kinder, mußte manchmal beide Augen zudrücken. Zu Heiligen hatte Gerlenhofen immer schon ein besonders kordiales Verhältnis. Einem Heiligen verdankt es seine 1000-Jahr-Feier: St. Ulrich, dem Bischof von Augsburg und stets pflichtgetreuen Reichsfürsten. An einem Maitag anno 973, nur wenige Wochen vor seinem Tod am 4. Juli dieses Jahres, traf er höchstselbst in Gerlenhofen ein. Er kam von Wittlingen, nordwestlich von Dillingen, wo er mit seinen adeligen Neffen über Details der Kirchenrenovierung beratschlagte, und wollte weiter in Richtung Laupheim. Die Reise mit dem Ochsenkarren, der im Schrittempo dahinzuckelte, war für den 83jährigen Kirchenfürsten beschwerlich[2]. Er vertrieb sich die Zeit mit lautem Psalmensingen, und weil über Gerlenhofen gerade die untergehende Sonne ihre letzten Strahlen warf, befahl er abzusitzen. Der greise Bischof konnte sich in dem Ort ganz wie daheim fühlen, gehörte er doch zum Hausgut seiner Sippe. Wie nämlich die Besitzgeschichte zeigt, ist „Gerilehova", wie es damals noch hieß, nach einem „Gerold", einem Verwandten der Gemahlin Karls des Großen, der Königin Hildegard, benannt, vielleicht sogar von ihm gegründet worden. Wir wollen das Erbgestrüpp der Hildegard-Sippe nicht bis in seine feinsten Verästelungen verfolgen, sondern kriminalistisch geschulten Genealogen glauben, daß auch der hochbetagte Ulrich in verwandtschaftlichen Beziehungen zu Königin Hildegard steht. Ob Gerlenhofens Bauern für den hohen Besuch wenigstens die Misthaufen vor ihren Höfen evakuiert haben, wie 1543 die Kemptener für Kaiser Karl V., darüber schweigt sich das Protokoll aus. Dafür weiß es eine ganze Menge darüber zu berichten, wie pfleglich der Apostelnachfolger ihre Immobilien und sein Gefolge behandelt hat. Um den schnittreifen Graswuchs zu schonen, mußte die Reisebegleitung auf einem brachliegenden Acker campieren, erhielt aber „eine solche Menge Lebensmittel, daß sie für die dreifache Zahl hingereicht hätte". Der Heilige dürfte sich im Widdumhof oder Maierhof ausgeruht haben. Gerlenhofen behielt den freundlichen alten Herrn in bester Erinnerung. Zum Patron ihrer gegen Ende des 15. Jahrhunderts erbauten Kapelle erwählten sie einen guten Bekannten und Kollegen des Bischofs: den Regensburger St. Wolfgang. Er war einst von Ulrich im Kloster Einsiedeln zum Priester gesalbt worden und hat am 7. Juli 973 den Leichnam des Kirchenfürsten in St. Afra zu Augsburg beigesetzt. Der Heilige mit dem Krummstab hielt denn auch lange seine Hand schützend über sein Familiengut Gerlenhofen. 1938 noch zählte der Ort lediglich 650 Seelen, die ihr Dasein in behaglicher Gemeinsamkeit fristeten. Warum er später nichts gegen die Container-Architektur und die Bataillone von Blaufichten unternahm, mag an den komplizierten Zuständigkeitsregeln liegen: Der Heilige Ulrich ist, auch wenn darüber heute nichts mehr bekannt zu sein scheint, der Patron für die Heuernte. □

Mit einigen anderen Kunstschätzen zog auch eine Madonna aus dem Umkreis von Gregor Erhart (Ulmer Schule um 1500) aus der kleinen Kapelle St. Wolfgang in die 1960 erbaute katholische Pfarrkirche St. Maria Königin.

[1] Weil Lusser die von ihm produzierten weißen Steine gleich an den Bauherrn bringen wollte, errichtete er sein Werk ganz nahe an der Illerbahn. Für die Freunde der Eisenbahn sei vermerkt, daß die 1863 eröffnete Bahnlinie der Stadt Memmingen gehörte. Am 12. April 1876 verkaufte sie das gesamte Areal der Illerbahn um 3,5 Millionen Gulden an die Königlich Bayerische Eisenbahnverwaltung.

[2] Entsetzlich, welche Strapazen Bischof Ulrich auf seinem Ochsenkarren da auf sich nahm. Die Wege waren bodenlos schlecht. Noch im 19. Jahrhundert brauchte die Eilpost mit mehrspännigen Wagen moderner Konstruktion für die Strecke Augsburg-Ulm 13 Stunden, ja selbst die erste Eisenbahn des Jahres 1853 mühte sich 5½ Stunden ab.

Bild rechts: Auf dem Gurrensee: Surfer an „Board"

Canon

Feierabend auf dem Gurrensee

Über den Gurrensee und Ludwigsfeld zurück in die Stadtmitte

Auf einer flachen Erhöhung, etwa fünf Kilometer südlich der Stadt Neu-Ulm, liegt der Gurrenhof, seit dem Mittelalter „Stuterey" des Ulmer Hospitals. 1773 wurde die Fohlenhütte zu einem Bauernhof umgewandelt. „Der Besitzer", steht bei Johann Herkules Haid anno 1786 zu lesen, „hat manche Besuche von der Stadt und mag auch Bier ausschenken. Die Gegend ist angenehm. Es ist an dem Hofe eine schöne Allee von schattichten Linden- und Alberbäumen." Der Stadel, ein abgewalmter Fachwerkbau, ist ein unterdessen selten gewordenes Beispiel der Bauweise des 17. Jahrhunderts. Die etwas südöstlich gelegene neuklassizistische Villa stammt aus den 1920er Jahren (Bauherr: Kommerzienrat Albert Römer). □

Bild rechts: Kurs auf Ludwigsfeld

Die bäuerliche Filialgemeinde von ehedem ist längst Wohnstadt geworden mit Hochhäusern und modernen Kirchenbauten der protestantischen Erlöserkirche (links) und der katholischen Pfarrkirche „Christus, unser Friede“ (rechts).

Ob er sich in den Sattel schwingen oder ein kühlendes Bad nehmen will: beides kann der Ludwigsfelder fast vor seiner Haustür.

Bild links:
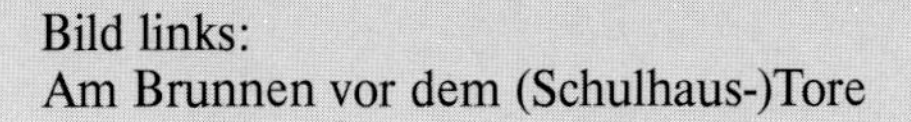
Am Brunnen vor dem (Schulhaus-)Tore

Schlußakkord: Die Stadt als Lebensraum zwischen zeitgemäßer Urbanität und gewachsener Natur (Augsburger Torplatz mit Plastik von Schäffenacker, Fotomontage einer Ansicht vom Ludwigsfelder Badesee).

Bildnachweis:

(In Klammern Zahl der Bilder auf einer Seite.)

Titelseite:	Wolfgang Bauer	15
	Richard Schreiner	1 (4. Reihe, 1. v. rechts)
	Christoph Schlegel	2 (2. Reihe, 1. v. links; 4. Reihe, 4. v. links)
	Heimatmuseum	4 (2. Reihe, 2. v. links, 4. v. links; 4. Reihe, 1. v. links, 5. v. links)
	Siegfried Mühlensiep	1 (3. Reihe, 3. v. links)
	Edwin-Scharff-Haus, Archiv	1 (2. Reihe, 3. v. links)
	Horst Hörger	1 (3. Reihe, 2. v. rechts)
Innenseiten:	Wolfgang Bauer	8, 9–12, 21(1), 22(1), 57, 58–59, 61(4), 62, 63, 64(2), 65, 66(20), 67, 68–69, 70, 71(3), 72–73, 80, 81(1), 82–83, 88–89, 93, 95, 96, 97(4), 100(3), 101, 104(6), 105, 106–107, 109, 110–111(17), 112, 113, 114, 115(3), 116–117, 126, 127(3), 130–131, 132–133, 134, 135(5), 136, 138, 142–143, 144–145, 146*, 147(5), 148, 149, 150, 151(16), 152–153, 155, 156(5), 157, 160–161, 165(19), 166, 168, 169(3), 171, 176–177(2), 178, 180, 182(4), 183, 186, 187(2), 188, 189, 193, 194(2), 195(1), 196–197, 202, 204, 205(3), 207, *146 Luftbild freigegeben durch die Regierung von Oberbayern Nr. GS 300/9349/84
	Richard Schreiner	60 (5, links u. Mitte), 64 (2, links u. Mitte unten), 100 (2, Mitte rechts u. unten rechts), 108, 110–111 (4, 1. Reihe, 1. u. 2. rechts, 2. Reihe, 2. v. links, 3. Reihe, 2. v. links), 123, 162–163, 169 (3, links unten, Mitte unten, rechts unten), 172–173, 182 (1, links oben), 198, 203 (1, 2. v. unten)
	Christoph Schlegel	110–111 (3, Mitte oben, 2. Reihe, 2. v. rechts, 3. Reihe, 1. v. links), 118–119, 122 (4), 199, 200–201, 203 (3, 1. u. 2. v. oben, 1. v. unten), 206 (Text Dr. Peter Biebl)
	Siegfried Mühlensiep	71 (1, links unten), 91(7), 97 (1, Mitte), 100 (1, oben), 190(4), 191
	Jürgen Jauss	22 (1, Mitte unten), 97 (1, links oben), 104 (4, links unten, links Mitte, Mitte rechts oben), 165 (5, 2. Reihe, 1. u. 3. v. rechts, 3. Reihe, 1. v. rechts, 4. Reihe, 1. v. rechts, 5. Reihe, 2. v. rechts), 174 (1, oben)
	Heimatmuseum Neu-Ulm	10–11 (1, unten), 15, 21 (2, Mitte), 22 (2, oben, links), 23, 24, 29, 32, 33, 35, 37(6), 38, 39, 40, 41, 42, 46–47, 48, 50, 51, 52, 53, 54–55, 74(2), 76–77, 78, 103, 160
	Museum Ulm	16, 17(2), 18, 74(2), 102, 195 (1, oben), Reproduktionen: Ingeborg Schmatz
	Edwin-Scharff-Haus, Archiv	13, 81(4), 90 (Foto: Rosmarie Clausen), 174 (1, unten)
	Kreis- und Stadtsparkasse Neu-Ulm, Erhard Raab	84–85, 86–87
	Kreis- und Stadtsparkasse Neu-Ulm, Horst Hörger	175
	Hellmut Pflüger	19(2), 20(3), 21 (1, oben), 30–31(4)
	Stadtarchiv Neu-Ulm	36
	Stadtarchiv Neu-Ulm Karl Salzmann	137, 140, 141(4)
	Harry Wurst	127 (1, links unten), 182 (1, Mitte), 205 (1, rechts unten)
	Neu-Ulmer Zeitung	28
	Bernd Schwemmle	98–99
	Reintraut Semmler	120, 139
	Tomitaro Nachi	121
	Stadt Neu-Ulm, Tiefbauamt Sachgebiet Vermessung	7
	Franz Urisk	5
	Volksbank Neu-Ulm	27
	Manfred Schefczik	165 (1, links unten)
	Familie Schrem	128
	Familie Zoller	124
	Lisbeth Klement	159
	Verlag Schnell u. Steiner München/Zürich 1962	49
	Grundstücksverwaltung Neubronn (Dr. Breyer), Reproduktion: Bernd Kegler	184–185